KB103770

하이드의 귀환

하이드의 귀환

발 행 | 2024년 5월 17일
저 자 | 조설은
펴낸이 | 한건희
펴낸곳 | 주식회사 부크크
출판사등록 | 2014.07.15(제2014-16호)
주 소 | 서울특별시 금천구 가산디지털1로 119 SK트윈타워 A동 305호
전 화 | 1670-8316
이메일 | info@bookk.co.kr

ISBN | 979-11-410-8555-1

www.bookk.co.kr
ⓒ 하이드의 귀환 2024

하이드의 귀환

지킬 박사와 하이드
영감을 얻다.

조설은 지음

차례

프롤로그

"예? 하이드 씨요? 설마 그 지킬 박사와 하이드 씨를 말하는 건 아니죠? 그럴 리가 없는데? 그는 이미 죽었잖아요?"

그는 분명 기로에 서 있었다. 용서와 죽음으로부터 말이다.

"마음속에 가두었던 원망과 분노로부터 자유로워질 수 있다고 말하더군요."

"그의 사악함은 정의로움에 잠이 깬 하이드에 비할 바가 아니네. 난 그가 더 이상 활개 치지 못 하도록 벌을 내려야만 했어."

1. 출현

　희뿌연 구름은 어두컴컴한 밤하늘 사이에서 노란 보름달 빛을 받아 몽환적인 자태를 드러냈다. 가로등은 허공을 밝히기라도 하듯 어두컴컴한 길 한가운데에 서서 한가로이 불을 밝혔고, 몇 안 되는 상점들의 전등불은 모두 꺼져 있었다. 줄지어진 상점 앞으로 뻗은 길 한가운데에 서 있는 나무들은 눈으로 수북이 덮였고, 달빛은 고요하고도 차가웠다.

　좁다란 길 사이로 부는 매서운 찬 바람은 두 사내를 마주치고 머뭇대다가 이내 재빨리 흩어졌다. 서 있는 두 사내는 얼핏 보아도 대등해 보이지 않았다. 한 명은 큰 키에 우람한 체격을 가진 젊은 남자이고, 다른 이는 잔뜩 어깨가 안으로 말려든 삐쩍 마른 노인이었다. 젊은 남자는 노인이 허리춤에 차고 있던 작은 깡통 속에 손을 집어넣더니, 지폐 몇 장과 동전 몇 개를 꺼내었다. 그러고 나서 돈을 움켜쥔 채 눈꼬리를 바짝 세우며 노인을 응시했다. 이내 시선을 피하던 노인의 어깨를 밀쳐내더니 차가운 벽으로 몰아세웠다. 그러고는 옴짝달싹 하지 못하는 노인의 멱살을 잡아 공중으로 끌어올렸다. 노인은 부여 잡힌 멱살을 떼어내려 발버둥 쳤지만, 숨만 더 가빠졌다. 얼마 뒤

노인은 축 늘어진 상태로 정신을 잃고 말았다. 그러자 젊은 남자는 노인을 바닥으로 내팽개쳤다.

"이 돈으로 뭘 할 수 있을까? 말해봐! 이놈의 노인네야!"

눈 쌓인 바닥에 널브러져 있던 노인은 고함에 정신이 번뜩 돌아왔는지, 등을 벽에 겨우 기대고 바닥에 앉더니 맨 손가락이 드러나 보이는 너덜너덜해진 털장갑을 벗어 던졌다. 손을 벌벌 떨어 가며 자신의 호주머니를 뒤적거리더니 무언가 한 움큼 쥐어 내밀었다. 노인이 내민 시커먼 손바닥에는 가벼운 동전 몇 개뿐이었다. 젊은 남자는 부르르 떨리는 손을 꽉 쥐더니 노인을 사정없이 두들겼다. 노인은 신음을 내며 가슴을 부여잡고 괴로워했다. 입가에는 피가 흘러내렸다.

그 순간, 형체를 분간할 수 없는 괴상한 물체가 젊은 남자에게 다가왔다. 그러더니 뒷걸음치는 남자에게 다가가 커다란 쇠망치를 든 듯한 굵직한 주먹으로 내리치고는 다시 남자의 가슴 부근을 힘껏 올려 쳤다. 젊은 남자는 공중으로 높이 솟구쳐 몇 미터 떨어진 전봇대 근처 쌓인 눈으로 빠르게 떨어지더니 실신한 듯 눈 속에 파묻혀 꿈적하지 않았다. 그러자 거친 숨을 몰아쉬던 괴상한 물체는 큰 소리를 지르며 시퍼런 웃음을 터뜨렸다. 그리고는 어두컴컴한 곳으로 천천히 사라졌다. 눈앞에서 벌어진 충격적인 장면을 목격한 노인은 입이 벌어진 채 그대로 얼어붙고 말았다.

2. 버밍엄으로 가는 길

1896년 2월 초 어느 날. 런던을 떠나 버밍엄으로 향하는 길은 밤낮을 구분하지 못하게끔 어두워지다 다시 흐릿해지기를 반복했다. 노련한 마부의 채찍질에도 불구하고 거센 바람과 함께 쏟아지는 눈덩이는 말의 발을 어지럽히고 길을 헤매도록 만들었다. 마부가 길을 제대로 아는지도 알 수 없었다. 그저 흔들리는 마차에 몸을 맡긴 채 무사히 도착하기만을 바랄 뿐이었다. 마차는 엉덩이만 간신히 걸칠 수 있는 폭이 좁은 의자가 세 줄로 나란하게 놓여 있는데, 비좁은 상태였지만 모두 별다른 불평은 내비치지 않았다. 옆으로 앉은 풍성한 중년 여인과 어린아이는 할 일이 마땅치 않았던지 시선을 내게 두곤 하였다. 접어놓은 신문을 꺼내 읽다 고개를 들어 올리는 찰나 중년의 여인과 얼굴이 마주치고 말았다. 어색함이 몰려오는 것도 잠시, 그녀는 달아나려는 토끼를 쫓는 매처럼 콧등을 찡그리더니 입가에 살짝 미소를 지었다.

"어휴, 마차가 엄청나게 흔들리네요. 날씨도 참 이상하죠? 아주 험상궂어요. 그런데 무슨 일이라도 생겼나요? 얼핏 보니까 신문이 닳도록 보고 계시던데 말이죠." 여인은 침을 꼴깍 삼키더니 얼굴을 빤히 바라보며 대화를 이어갈 기세였다.

"아…… 신문을 읽고 있었습니다. 어제 버밍엄 쪽에서 하이드 씨를 보았다는 소식이 나서 무슨 일인가 싶어 보고 있었죠."

여인은 두 눈이 동그랗게 커졌다.

"예? 하이드 씨요? 설마 그 지킬박사와 하이드 씨를 말하는 건 아니죠? 그럴 리가 없는데? 그는 이미 죽었잖아요? 그를 보았다고 하니 심장이 쪼그라드는 것 같네요."

앞에 앉았던 노부부는 등을 젖히더니 슬쩍 고개를 돌렸다.

"아직 자세한 내용은 알려진 게 없습니다. 동네 갱스터나 부랑자일 가능성도 있지요. 혹 누군가를 잘못 보고 신고했을 수도 있을 겁니다. 차차 수사가 진행되면 밝혀질 테니 너무 걱정하지 마세요."

여인의 어린아이만 제외하고 모두 고개를 끄덕였다. 어린아이는 여인을 보며 물었다.

"엄마. 하이드는 나쁜 사람이에요?"

여인은 고개를 끄덕였다.

"응, 엄마가 기억하는 하이드 씨는 아주 험악한 사람이었어. 혹시 그와 마주칠까 봐 밤에는 돌아다니지 못했다니까. 다행히 마주친 적은 없었지. 얘야. 그래도 너무 걱정하지는 말거라. 이 세상에는 존재하지 않는 사람이니까."

어린아이는 팔짱을 끼고 잔뜩 몸을 움츠린 채 고개만 조심스레 끄덕였다.

"세상에 별일이 많아요. 불안해서 애들을 밖으로 내보내질 못한다니까요."

여인은 한참 씩씩대더니, 어느새 드르렁대며 아이의 몸에 기대 잠이 들어버렸다.

3. 소문을 둘러싼 만남

　어느덧 말들은 산허리를 돌아 버밍엄에 다다랐다. 바람을 타고 폐부 깊숙이 밀고 들어오는 숨은 미묘하게도 맑고 서늘하였다. 하얗게 물든 들판은 평화로웠다. 그러다 불쑥 지난날의 좌절과 환희가 뭉뚱그려져 일어나다가 지워지고, 아련한 기억의 파편들이 되살아나 이리저리 흩날렸다. 정오가 지날 무렵 도착한 빅토리아 광장은 사람들과 마차로 번잡하였다. 그들의 머리 위로 한껏 따사로운 햇살이 내리쬐었다. 가벼운 드레스 차림의 여인들은 분수 주위로 모여 이야기꽃을 피웠고, 중절모를 눌러 쓴 남자들은 머리를 맞대고 비밀스러운 대화를 이어갔다. 시선을 조금 돌리니 다른 세상이 펼쳐졌다.

　부랑자 무리가 거리의 한구석을 차지하고, 지나가는 이에게 손을 내밀어 돈을 구걸했다. 버밍엄 경찰청으로 걸어가는 길도 마찬가지였다. 그들은 악취가 진동하는 너저분한 옷을 입었으며, 몇 명은 지푸라기를 깐 자리에 누워 몸을 웅크리고 있었다. 지나가는 이의 시선 따위는 아랑곳하지 않았다. 음식을 가지고 주먹 다툼하거나, 목이 좋은 장소를 차지하려 다툼을 벌이거나, 다른 부랑자의 물건을 슬쩍 가져가려 하였다. 그 와중에 한 백

11

발노인이 들고 있는 푯말이 눈에 띄었다. "하이드를 본 목격자"라고 적혀 있었다. 앞에 놓인 동냥 그릇에 제법 무게가 있는 동전 하나를 떨어뜨렸다. 그러자 노인은 바로 동전을 주워 호주머니에 챙겼다. 그러고는 머리를 앞뒤로 흔들어대며 정체 모를 말을 중얼거렸다.

"그는 살아 있어!"

그에게 좀 더 다가갔다.

"저기, 하나 물어 봅시다. 하이드가 출몰했다는 장소를 알고 계시오?"

노인은 잔뜩 누레진 이와 군데군데 빈 이를 드러내며 대답했다.

"히히. 당신도 그 소문을 듣고 찾아왔구먼. 그 소문을 알아보려던 거면 잘 찾아온 거요. 그제 저 멀리 상가들 사이에서 사건이 발생했거든. 거기 사건 현장에 내 동료가 있었다고. 히히."

노인은 제 말에 신났는지 캑캑거리며 웃어댔다. 넥타이를 풀어가며 노인의 눈높이에 맞춰 무릎을 꿇고 앉았다.

"그래요? 그 동료는 어디 있소?"

노인의 목소리와 다르게 분명한 중 저음의 목소리로 되물었다.

"으흠. 그냥은 가르쳐 줄 수는 없지. 당신을 보아하니 돈이 꽤 많아 보이는군. 오똑한 콧날과 짙은 눈썹 그리고 날렵한 턱선은 옛날부터 귀인의 상이라고 그랬거든."

"그래. 알겠소. 여기."

12

몇 장의 지폐를 그 노인의 그릇으로 떨구었다. 노인은 지폐를 줍더니 시선이 잘 닿지 않는 허벅지 안쪽에서 몇 장인지 세었다. 다물어지지 않는 입은 점점 크게 벌어졌다.

"으흠, 제대로 궁금한 모양이군. 말해주지. 여기서 네 블록 떨어진 거리의 술집 근처에서 말 없는 노인네를 찾아봐. 이름은 빌이라고 하네. 특이한 깡통을 하나 들고 돌아다녀. 보면 금세 알 거요."

"특이한 깡통이요? 어쨌든 고맙소."

흙이 묻은 부위를 툭툭 털고 일어나, 노인이 손으로 가리킨 곳으로 출발했다.

한 블록을 지났을 무렵 뒤에서 누군가가 상냥한 말투로 물었다.

"제터 경감님 아니세요?"

귀에 익은 목소리였다.

"누구시죠?"

뒤를 돌아보고 놀라지 않을 수 없었다. 예전 어두운 모습은 온데간데없이 사라지고, 회색 상의와 긴 치마 차림에 스카프로 잔뜩 멋을 부렸다.

"제니퍼. 얼마 만인가? 반갑네. 깃털이 달린 하얀 모자에 가려 자네의 얼굴을 알아차릴 수 없었어. 아니 무슨 일이 있었던 거야? 더 아름다워졌군."

제니퍼는 활짝 웃었다.

"후후! 몇 년이 흘렀지만, 경감님 모습은 그대로세요. 어떻게 지내셨어요?"

"이제 자네 상사도 아닌데 경감이라니. 그냥 제터라고 편하게 불러주게. 걱정해 준 덕분에 잘 지내고 있었어. 다시 돌아오니 감회가 새롭군. 모두 잘 지내고 있지?"

제니퍼는 늘어진 한숨을 내쉬었다.

"후유. 글쎄요. 경찰청 분위기는 좋진 않아요. 그냥 버틴다고 해야 하나? 불만이 있어도 쉬쉬하고, 말도 꺼내지 못하는 분위기예요. 그런데 경감님은 여기 어쩐 일이세요?"

"내 소식을 듣지 못했나 보군. 런던에서 사설탐정을 하고 있네. 오늘은 이 근처에서 발생한 사건 현장으로 가는 길이었고. 조만간 버밍엄 경찰청도 방문할 예정이었네."

"아하. 런던경찰청에서 사람을 보낸다더니 경감님이셨군요. 그렇죠?"

"맞아. 거기서 나를 임시로 고용해서 이곳으로 파견을 보냈어. 앞으로 자네가 나를 많이 도와줘야 하네. 부탁하네."

"물론이지요. 저 말고 누가 또 경감님을 잘 보좌할 수 있겠어요? 그렇죠?"

제니퍼의 눈웃음 뒤로는 장난기가 그득하였다.

"그럼. 제니퍼뿐이지. 자네만 믿네!"

"존경합니다. 경감님. 칭찬은 오랜만에 들어도 좋네요. 참, 지금 이럴 시간이 아닌데. 제가 지금 심부름 가던 길이었거든요. 나중에 또 봬야 할 것 같아요."

"그러지 제니퍼. 경찰청에서 다시 봅시다."

"네!"

목적지를 얼마 남겨두지 않은 거리에는 인파로 붐볐다. 경찰들은 공터를 에워싸며 사람들이 함부로 드나들 수 없도록 막아섰다. 구경꾼들은 짐 더미가 쌓인 높은 곳에서 뭔가를 보려고 아우성쳤다. 서로 고함을 지르며 밀치기도 하고 넘어지기도 하였다.

"실례합니다. 여기 무슨 일이라도 있소?" 지나가는 남자를 붙잡고 물었다.

"여기 처음이오? 이곳이 하이드가 나타났다던 장소라오. 지금은 사람들로 난리군."

"그렇군요. 고맙소. 좀 한산해지면 다시 와야겠군요."

노인이 말했던 술집으로 방향을 돌렸다. 발걸음을 재촉한 덕분에 얼마 걸리지 않아 허름한 술집 하나를 발견할 수 있었다. 하지만 술집은 문이 잠겨 있었다. 근처를 지나가던 사람들에게 빌이라는 사람을 아는지 물었다. 그러자 행색이 지저분한 남자 여럿이 다가왔다.

"당신. 빌을 찾고 있소? 내가 빌이오! 하이드를 만났었지. 궁금하지 않소? 하이드란 놈이 절름발이인지, 외눈박이인지 말이오. 헤헤."

그들 중 일부가 낚아채듯 손목을 잡고 어두운 골목으로 끌고 들어갔다.

"그러니까. 하이드가 살아 있단 말이야. 내가 바로 앞에서 그를 봤다고. 더 자세하게 알고 싶다면 돈이 좀 필요해."

여럿이서 각기 험상궂은 얼굴을 한 채 빙 둘러싸자 한 놈이 손을 쓱 내밀었다. 그들의 몸에서는 술과 쓰레기 더미 냄새가 진동했다. 나는 그들의 손을 뿌리쳤다.

"이봐. 당신 같은 사기꾼을 찾는 게 아니야! 진짜 빌을 찾고 있다고. 알아듣겠어?"

그중 한 명이 어깨를 들썩이며 말했다.

"어이. 이봐. 그렇다고 이렇게 화낼 것까지는 없잖아!"

놈의 멱살을 잡아 눈앞으로 끌어다 놓았다.

"뭐라고? 자네가 하이드를 알아? 그 잔인한 놈을 말이야. 내게 진실을 말하지 못할 거면 썩 꺼져!"

"젠장. 재수가 없으려니……."

대놓고 자신을 빌이라고 음흉한 미소를 짓던 사람들은 은근슬쩍 하나둘 흩어졌다. 관광의 성지가 된 듯한 이곳은 각지에서 찾아오는 사람들로 발 디딜 틈조차 찾기 어려웠고, 하이드란 존재에 대한 특이한 축제를 벌였다. 하지만 그들 중 제대로 하이드와 빌을 아는 사람은 극히 드물었다.

4. 줄리오 기자

　거리의 인파를 헤집으며 건물 사이를 빠져나왔다. 처음 보았던 공터로 돌아왔을 무렵, 한 무리의 경찰들 사이로 키가 작은 노인이 눈에 띄었다. 부랑자들처럼 닳아 있는 검정 외투를 입었는데. 그의 왼손에는 백발의 노인이 알려주었던 특이한 빨간색 깡통이 들려 있었다.

　"저기. 이봐요!"

　내가 외치는 소리를 들었는지 젊은 경찰 한 명이 다가왔다. 솜털이 난 앳된 얼굴은 계급장을 확인하지 않아도 새내기라는 걸 알 수 있었다. 그는 다소 경직된 얼굴로 물었다.

　"무슨 일입니까?"

　"저는 런던경찰청에서 파견 나온 제터라고 합니다. 사건 현장과 저기 앉아 있는 노인을 조사하고 싶군요. 협조 부탁드리오. 여기 허가증이 있소."

　양복 안쪽 주머니에서 허가증을 꺼내 내밀었다. 그러자 그는 종이에 적힌 내용을 보더니 그걸 들고 누군가에게 달려갔다. 그러더니 맞은편에 서있던 뚱뚱한 사람에게 뭔가를 말하는가 싶더니 손으로 나를 가리켰다. 점잖은 양복을 입은 뚱뚱한 사내는 지팡이를 들고 서 있었는데, 고개를 계속 가로저었다. 잠시 후 새내기 경찰은 다시 헉헉대며 달려왔다.

"안 될 것 같습니다."

"무슨 말이오? 난 런던경찰청에서 수사 요청을 받고 왔습니다."

그러자, 그는 내 말을 가로막았다.

"압니다. 제터 씨죠? 그런데, 저희 경감님께서 오늘까지 사건 현장에 아무도 들이지 말라는 명령을 내리셨습니다. 죄송합니다. 내일은 사건 현장을 보실 수 있게 하겠습니다."

그는 머리를 긁적이며 눈을 마주치지 못하고 피했다.

"미안할 거 없소. 그저 명령받았을 뿐이지 않소? 그럼, 내일 다시 오겠소."

잠시 후 조금 떨어진 장소에서 누군가 외치는 소리가 들렸다.

"여기요! 넬리 경감님!"

사건 현장을 울리는 외침의 주인공은 젊은 여자였다. 하얀 얼굴에 흔들리는 금빛 갈색의 긴 머리카락을 한쪽 어깨로 넘긴 그녀는 뚱뚱한 사내를 보며 손을 들어 보였다. 넬리 경감은 흘끔 보고 나서 표정이 어두워졌다.

"넬리 경감님! 며칠 전 발생한 사건은 과거에 하이드가 저지른 사건과 매우 유사한 점이 많다고 들었는데, 아닌가요?"

그녀의 크고 높은 목소리는 주변 사람들의 이목을 끌기 충분했다. 뒷짐을 진 넬리 경감은 급이 낮은 경찰을 데리고 줄리오 기자에게 다가갔다. 둘은 이동하면서 수군거렸다.

"앤더슨. 저 여기자가 이 사건에 관한 기사를 처음으로 썼다지?"

넬리 경감은 두툼한 턱으로 여기자를 가리켰다.

"저는 잘 모르겠습니다."

자세를 낮춘 경찰이 대답했다. 넬리 경감의 말투는 더욱더 신경질적으로 변했다.

"어떤 놈이 사건정보를 뒤로 흘린 게 틀림없어. 그렇지 않고서야 사건에 대한 내막을 손바닥 보듯 알 수 없겠지. 그렇지 않아?"

"글쎄요. 저는 잘 모르겠습니다."

"앤더슨! 자네는 늘 모르겠다는 말뿐이군. 도대체 제대로 아는 게 뭐야! 이런 멍청한 놈 같으니라고."

넬리 경감은 앤더슨이라는 사내를 보며 입술을 부들댔다. 찢어진 눈은 더 사나워졌고, 금방이라도 칠 것처럼 주먹을 움켜쥤다. 그러나 주위의 이목이 쏠리자 금세 미간의 주름을 지우고 아무 일 없다는 듯 기자들 앞으로 나갔다.

경감을 마주한 여기자는 풍성한 회색 외투에 하얀 블라우스와 몸에 착 달라붙는 검정 치마 정장을 입었다. 뭇 다른 여인들이 펑퍼짐한 치마를 입는 것과는 그 옷맵시부터 남달랐다. 그녀의 높다란 구두 굽은 넬리 경감의 거센 눈빛에도 전혀 흔들림이 없었다.

"한참 동안 기다렸는데 이제야 오시는군요. 어서 말해 주시죠. 수사 진행은 어떻게 되고 있는지 말이죠."

"흠, 예의를 좀 갖췄으면 좋겠습니다. 취조하는 듯한 당신의 발언은 마음에 내키지 않는군요. 우선 소속과 성함을 밝혀주시죠."

그녀는 어이없다는 듯 어깨를 들썩였다.

"정말 몰라서 묻는 건가요? 몇 번이고 알려드리죠. 버밍엄 신문사의 줄리오 기자입니다. 됐나요?"

넬리 경감은 머리를 잠시 긁적였다.

"수사 중인 사항이라 자세히 말씀드릴 수는 없습니다. 하나 분명한 건 이번 사건이 하이드와 연관이 없다는 점입니다. 어디에서도 그러한 정황은 발견되지 않았어요. 괴담은 사람들 마음을 어지럽히고, 나아가 나라를 분열시킬 것입니다. 우리는 이걸 더 경계해야 합니다."

줄리오 기자는 고개를 내저었다.

"범인의 잔인함과 괴상한 모습에서 많은 사람들은 하이드가 한 짓이 아닐까 불안에 떨고 있어요. 그것을 괴담이라고 치부해 버리는 이유가 뭔가요? 당신은 하이드를 알기나 하나요?"

"그럼, 괴담이 아니라는 제대로 된 증거를 제게 가져와 보이시죠. 아, 그리고 하이드를 아냐고요? 물론 잘 압니다. 그는 역사에나 존재하는 인물이지요. 얼마 전 그의 묘지에도 다녀왔지요. 너무 편안하게 잠들어 있더군요."

넬리 경감은 두툼한 배 위로 한 손을 올리고 히죽히죽 웃어 댔다.

"지금 이 진중한 자리에서 농담하시는 거예요?"

그러자 넬리 경감은 웃음을 멈췄다.

"그럴 리가요. 저는 시중에 떠도는 하이드에 대한 환상적인 소문을 확인도 없이 기사로 써내면 안 된다고 생각합니다. 만약 그러한 기사로 인해 사회적 혼란이 발생한다면, 그 책임은 온전히 자극적인 기사를 써낸 자가 져야겠지요. 안 그렇습니까? 줄리오 기자."

넬리 경감은 표정을 바꾸더니 연단 아래에 서있는 줄리오 기자에게 다가가 사나운 시선을 내리꽂았다.

줄리오는 그 시선을 거절하지 않았다.

"당신이 몸담은 정부 기관에서는 불편한 사실을 숨기고 왜곡하려 들지. 다가오는 중대한 선거를 앞두고 잡음이 나오면 안 되니까. 하지만 우리는 달라. 본 그대로 들은 그대로를 대중에게 알릴 거야. 판단은 대중의 몫이니까. 당신의 그런 협박은 나한테 통하지 않아."

넬리 경감은 손에 든 지팡이로 단상을 쿵 찍었다.

"말도 안 되는 소리를 지껄이는군. 누가 저급한 신문사 소속이 아니랄까 봐, 지금 내 앞에서 유세라도 떨겠다는 건가?"

"뭐라고요?"

그러자 앤더슨은 서둘러 단상 아래에 있던 줄리오 기자 앞을 가로막았다.

"오늘은 이만 가세요. 줄리오 기자."

눈을 치켜든 채 거친 숨을 내쉬던 줄리오는 단상 위를 한참 쳐다보다 사진사와 함께 인파 속으로 사라졌다. 넬리 경감은 못마땅한 얼굴로 자리를 떠났고 다른 기자들도 모두 흩어졌다.

다음 날 동이 트자마자 사건 현장을 다시 찾았다. 안개가 자욱한 거리에 경찰들은 서성이고 있었다.

"안녕하시오? 제터라고 하오. 오늘은 들어가 봐도 되겠습니까?"

어제 보았던 새내기 경찰에게 다가가 묻자, 그는 고개를 끄덕이며 순순히 길을 열어주었다.

"네, 그러시죠."

아침 햇살에도 불구하고 며칠 전부터 쌓여있던 눈은 녹지 않고 그대로였다. 먼저 젊은 남자가 쓰러져 있었던 자리를 살펴보았다. 무언가 상당한 힘으로 밀쳐진 듯 움푹 파여있었고, 근처에는 팔뚝만 한 나뭇가지들이 부러진 채 사방으로 흩어져 있었다. 며칠째 내린 눈의 무게를 생각하면 가지에 상당한 압력이 있었을 게 틀림없었지만, 그럼에도 부러진 모양이나 조각들이 자연스럽게 발생한 모습이 아니었다. 주변을 살피다 듬성듬성 나 있는 희미한 발자국 흔적을 발견했다. 그 위를 덮고 있던 가벼운 눈을 쓸어내리자, 곰처럼 덩치 큰 짐승의 발자국이 나타났다. 아무리 봐도 사람에 의해 만들어진 자국이라고는 믿기 힘들었다. 중간중간 발자국들이 사라졌다 나타났는데, 먼저 조사한 사람들과 관계자에 의해서 지워졌거나 훼손된 듯하였다. 그 흔적은 큰 갈림길까지 이어지다가 숲길 방향이 아닌 번화가

22

방향으로 사라져갔다. 사람들이 많은 곳으로 달아나다니 좀처럼 이해할 수 없군. 범인은 분명 쉽게 발각되리라는 걸 알았을 텐데 말이야. 매우 대담하거나 그렇지 않다면······.

그때 내 등 뒤로 햇볕을 막아서는 그림자가 드리워졌다.

"처음 보는 분 같은데, 어디서 오셨어요?"

귀에 익은 목소리에 돌아보니 어제 봤던 줄리오 기자였다.

"저는 버밍엄 경찰청에 근무하는 사람들 대부분은 잘 아는데 말이죠."

어제의 그녀가 아닌 듯 친절한 미소를 지어 보였다.

"반갑습니다. 저와는 구면이 되겠군요. 본의 아니게 어제 넬리 경감과 이야기하는 모습을 보게 되었습니다. 줄리오 기자님이시죠? 저는 제터라고 합니다. 런던에서 탐정 일을 하고 있습니다. 경찰 자문역할 겸 말이죠."

일어나 악수를 청하자, 그녀는 가느다랗고 하얀 손을 내밀며 짧게 응했다.

"아- 탐정이라. 이번 사건이 꽤 중요하긴 하나 보네요. 그 은밀한 곳에서 외부인까지 수혈해야만 하는 안타까운 속사정이 있겠죠? 그런데, 과연 넬리 경감도 같은 생각일까요?"

그녀는 입을 손으로 가리며 슬며시 나온 웃음을 참지 못했다.

"참, 저는 아시다시피 줄리오 기자라고 해요. 주된 일은 버밍엄 경찰청을 드나드는 일이고요. 수사는 잘 돼 가나요?"

차가웠던 손은 잠시나마 그녀의 온기로 따스해졌다.

"이제 시작인걸요."

"어제는 본의 아니게 투사가 된 모습을 보여드렸네요. 좀 놀라지 않으셨어요?"

"사실 조금 놀랐습니다. 넬리 경감에게 그렇게 거리낌 없이 말하는 사람은 드물거든요."

그녀는 예상한 듯한 표정이었다.

"넬리 경감을 잘 아시네요. 저는 그런 사람 앞에서는 더 당당해지려고 해요. 악랄한 짓을 하고도 양심에 대해 거리낌이 없는 사람이니까요. 그런 사람에게 부드럽게 대할 이유가 없죠."

줄리오와 동행한 사진사는 여기저기 다니며 사진을 찍어댔다.

"오늘은 현장 촬영하러 오신 것 같습니다."

"네"

그녀는 갈색 외투 주머니에서 손을 빼내 회중시계를 들여다보았다.

"아, 제가 수사에 방해가 되지 않았나 모르겠네요. 사진을 몇 장 찍고 이제 가봐야겠어요."

"방해라니요. 다음에 또 보시죠."

"그래요, 그럼."

그녀는 옅은 미소를 짓더니 자리를 떠났다.

5. 넬리 경감

**

넬리 경감은 집무실 앞으로 펼쳐진 호수를 바라보며 우두커니 서 있었다. 언제 들어왔는지 모를 앤더슨은 서류뭉치를 들고 문 앞에서 기다리다 비정상적인 치아 배열을 드러내며 조심스럽게 말을 꺼냈다.

"경감님. 말씀하신 자료를 찾아왔습니다."

"자네. 피해자라는 그 젊은 남자는 알아봤나?"

넬리 경감은 의자에 앉더니 책상 위로 다리를 쭉 뻗었다.

"네, 그 남자는 열아홉 살로 이름은 잭이라고 합니다. 직업은 없습니다. 조사 과정에서 그의 전과를 발견하였는데, 몇 차례 절도죄와 폭력 건이 있었습니다. 그는 또 금지된 약의 불법 유통에도 관여해 왔습니다."

앤더슨은 소지한 서류를 책상 위로 내밀었다.

"어린놈이 절도와 폭력에 금지된 약까지?"

넬리 경감은 두 눈을 번뜩였다.

"네, 잭은 주로 술에 취한 사람들을 표적으로 돈을 갈취했었습니다."

그러자 넬리 경감은 손가락을 딱하고 튕겼다.

"그럼 그렇지. 이건 평범한 동네 갱스터들의 다툼이야. 하이드가 다시 나타났다고 호들갑을 떠는 인간들은 대체 무슨 생각이 있는 건지 모르겠군. 노인 진술이 맞는다면 잭이라는 그 젊은 놈이 돈을 빼앗으려다 또 다른 누군가에게 맞고 정신을 잃었다는 거 아닌가?"

"네, 그런 것으로 추정됩니다."

앤더슨은 굽실거렸다.

"하하. 노인과 잭에 의하면 그 다른 누군가는 몸집이 크고 괴기스러웠다는 것이고…… 노인은 좀 파악해 봤나?"

"예, 그는 말이 좀 어눌하고 모자랐습니다. 주변 사람들에게 물어보니 노인은 늘 술에 취한 상태로 구걸하며 지냈다고 합니다. 사건을 증언하기에는 부적절해 보였습니다."

넬리 경감은 의자 손잡이를 주먹으로 쾅 하고 쳤다.

"이 모든 소문이 술주정뱅이에다가 모자라기까지 한 노인네와 깡패 놈의 합작품이군. 이쯤 되니 그놈들 말을 진실인 것처럼 사방에 퍼트리는 무리의 저의가 궁금해지는군. 누가 이런 소문을 퍼트렸는지 조사해 봐. 특히 그 여기자 말이야. 알아듣겠나? 앤더슨?"

"네, 경감님."

"이제 확실하게 정리하려면 몸집이 크고 괴기스러웠다는 놈만 찾으면 되는데 말이야…… 일단 사건이 일어난 지역에서 활동 중인 모든 갱단을 조사해, 어떤 수단을 동원해서라도 말이야. 내 예감으로는 그놈들이 분명해. 어서 움직여!"

"네, 경감님. 이만 나가보겠습니다."

문밖에서는 제니퍼가 앤더슨을 기다렸다.

"오늘은 경감님 집무실에서 큰 소리가 들리지 않았네요. 다행이에요."

제니퍼는 걱정스럽다는 듯 앤더슨을 쳐다보았다.

"네, 오늘은요. 저기 제니퍼, 혹시 줄리오 기자를 못 봤나요?"

제니퍼는 눈을 떠올리며 턱을 어루만졌다.

"줄리오 기자요? 글쎄요. 오늘 온다고 하긴 했어요. 보게 되면 알려드릴까요?"

"네, 그래 주세요. 그나저나 병원에 있던 잭의 상태는 어떤가요?"

"많이 안 좋아 보였어요. 의사 말로는 앞으로 며칠이 고비가 될 거라고 하네요. 잭과 얘기를 하면서 중요한 진술을 얻었어요. 뿔이 달린 녹색 괴물을 보았다고 하더군요. 노인의 진술과 대체로 일치하는 내용이에요. 제가 경감님께 올린 자료에도 그 내용을 적어놨어요."

앤더슨은 고개를 끄덕였다.

"아. 그랬어요? 하지만 잭이란 놈의 과거 행적을 봤을 때, 순수하게 볼 인물은 아니에요. 약에 취해서 정신이 이상했거나, 거짓으로 진술해서 수사를 방해하려고 했을 수도 있죠. 아니면 노인과 말을 맞추었을 수도 있고."

제니퍼는 고개를 갸우뚱거렸다.

"그런가? 아무튼 경감님께서 자료를 보고 판단하시겠죠. 그나저나 제터 경감님께서 오실 때가 되었는데?"

제니퍼는 출입문을 유심히 바라보았다.

**

몇 년이 훌쩍 지난 후에 방문하는 경찰청이었지만, 중앙 출입문의 바래진 고동색과 은색 손잡이는 그대로였다. 문을 활짝 여니 활자를 찍어대는 타자 음만이 넓은 공간을 바쁘게 메웠다.

"어? 제터 경감님! 드디어 오셨네요!"

멀리 서 있던 제니퍼는 나를 마중하러 출입문으로 나왔다.

"여기서 다시 보게 되었군. 반갑네."

"아차! 이제 탐정님이시죠. 아직 입에 잘 붙지 않네요."

"그냥 제터라고 부르게. 난 그게 더 편하네."

주위를 둘러보았다. 사무실을 살피니 사람들이 앉는 공간이 아주 부족해 보였다. 대신 경감이 머무는 사무실은 더 넓어졌다.

"같이 일했던 사람들이 보이지 않는군. 다들 어디로 갔지?"

"이동이 있었어요. 다른 지역으로 보내진 사람들도 많고요."

제니퍼가 대답했다.

"그랬군. 모르는 사람들이 대부분이야. 젊은 사람들로 채워진 것 같군. 옆에 계신 분은?"

제니퍼 옆에는 며칠 전 보았던 남자가 서 있었다. 가까이서 보니 그의 큰 키가 인상적이었지만, 몸이 지나치게 얇아 바람에 금방 넘어질 듯하였다. 얼굴의 볼은 움푹 들어가 앙상한 골격이 그대로 드러났고, 등은 굽어있어 고개가 앞으로 숙여졌다.

"아. 제가 소개를 안 드렸네요. 이분 이름은 앤더슨 씨라고 하고요. 제 동료예요."

이어 앤더슨을 보며 말했다.

"제터 씨는 예전에 이곳 버밍엄 경찰청 경감님이셨어요. 이제는 탐정으로 돌아오셨네요. 앞으로 저희와 같이 일을 하게 될 거예요."

"처음 뵙겠습니다. 경감님에 대해서는 제니퍼에게 익히 들어 알고 있었습니다. 제터 경감님과 함께 일했다는 사실을 무척 자랑스러워하더라고요."

나는 손사래를 쳤다.

"아닙니다. 저야, 해야 할 일을 했을 뿐인데요. 어쨌든 제니퍼가 그리 말해 주었다니 고마울 따름이네요. 앞으로 잘 부탁드립니다."

"물론이지요. 저도 부탁드립니다."

빙긋 웃던 제니퍼는 말이 끝나자마자 재빨리 한걸음 옮겨 앞으로 섰다.

"제터 탐정님. 안 그래도 지금 넬리 경감님께서 집무실에서 기다리고 계세요. 어서 들어가 보세요."

"고맙네. 제니퍼."

삐걱-. 집무실 문은 여전히 고풍스러움을 담은 소리로 드나듦을 감시했다. 넬리 경감은 의자에 앉아 팔짱을 낀 채 발을 책상 위로 쭉 뻗고 있었다. 따스한 방안은 졸음이 몰려들기 적당한 온도였다. 오른쪽 창문으로 쏟아지는 햇살은 넬리의 풍채에 입체감을 더해줬다,

"다시 만나는군. 넬리."

넬리 경감은 슬며시 발을 내려놓고, 두 손을 모아 턱을 기댄 채 얼어붙은 듯 창백한 얼굴로 고개만 살짝 올려 내 쪽을 응시했다.

"자네가 이곳에 다시 올 줄 미처 몰랐네. 바깥세상은 좀 어떤가? 요즘 같은 날씨에 더 춥게 느껴지지는 않던가? 자네 얼굴을 보니 안쓰러운 마음이 먼저 드는구먼."

"자네의 비꼬는 말투와 가증스러운 표정은 여전하구먼."

"뭐야! 기껏 불쌍해서 생각해 줬더니!"

넬리는 의자의 양쪽 손잡이를 치며 일어서려 제 몸무게를 이기지 못하고 주저앉았다.

"진정하게. 난 자네와 다투러 돌아온 게 아니야. 나를 부른 이유나 말해보게."

넬리의 격앙된 얼굴은 점차 굳은 얼굴로 바뀌었다.

"그럼, 단도직입으로 말하지. 이번 일에서 손을 떼게. 자네가 있던 곳으로 돌아가란 말이야. 돈이 목적이었다면 내가 주겠네."

책상 앞에 놓인 소파에 털썩 앉았다.

"그럴 수 없네. 자네도 잘 알겠지만, 버밍엄에서 일어난 사건이 점차 국가적 문제로 대두되고 있어. 하이드에 대한 소문이 들불처럼 번져가고 있지. 사람들은 점점 불안에 떨고 있어. 난 정부와의 계약이 아니었어도, 이번 사건을 밝혀내려 했을 거야. 그러니, 그런 헛된 희망을 품는 것보다 사건을 해결하는데 온 힘을 쏟는 게 낫지 않겠나?"

"난 그런 소문을 인정할 수 없어. 당신이 나서서 해야 할 일도 없을 거야. 진짜 범인은 우리 손에 잡힐 테니까. 나의 제안을 받아들이지 않아 생기는 결과에나 놀라지 말게."

"넬리, 이 사건은 뭘 가려서 해결될 일이 아니네. 누구의 입을 막아서 해결될 일도 아니고."

그러자, 넬리는 얇은 웃음을 짓다가 점차 일그러졌다.

"그 따위 조언은 내게 필요 없네. 난 그런 일들과 상관없이 자네가 넘볼 수 없는 위치에 오를 수 있어. 자네도 해내지 못한 그런 자리 말이야. 알아듣겠나?"

깊은 한숨이 저절로 흘러나왔다.

"넬리, 한마디만 하지. 자네에게 경감이라는 지위가 벅차 보이네. 잘 생각해 보게. 그 자리까지 오른 게 자네의 역량 덕분이었는지 말이야. 맞지 않는 옷은 차라리 버리는 게 낫지 않을까?"

"뭐…… 뭣이? 자네가 내게 말할 입장이 아닌 것 같은데. 권력에서 멀리 밀려난 이유를 자신에게서 찾지 않고, 특정 사람들의 부패 때문이라고 치부해 버리지 않았던가?"

"치부해 버렸다고? 그럼, 사실이 아니었단 말인가? 자네를 포함한 무리는 내가 버밍엄의 정상에 서려는 모습을 허용하려 들지 않았어. 그건 자네들 왕국의 수치였을 테니까. 아직도 과거의 영광을 이어가려는 어리석은 모습들이 그대로인지 궁금하군."

넬리의 눈매는 사나워지고 입술은 부들거렸다. 분을 참지 못하는 듯 두 주먹을 불끈 쥐더니 쾅 하고 책상을 쳤다.

"자네의 말은 심증은 있는데, 물증이 없는 셈 아닌가? 어디 증거를 대봐!"

"증거라……. 그래. 물증은 없네만, 심증은 차고 넘치지. 자네는 개처럼 꼬리치며 나에게 치근대며 다가왔어. 그건 나에 대한 친밀함과는 상관없는 자네의 편리를 위한 것이었어. 원하는 권력을 얻자 바로 돌변했지. 그게 본색이었겠지. 나에 대한 악의적인 소문과 험담을 일삼았던 게 무엇을 위했던 것인가? 그래야만 자네들의 목적이 달성된다고 생각했었나?"

"자네는 착각하고 있어. 자신의 올곧음에 갇혀 세상만사가 원리원칙대로만 흘러갈 거라는 착각 말이야. 세상은 변하네. 자네와 내 사이도 말이지. 자네와의 우호적인 관계는 내가 개처럼 꼬리를 흔들어 대던 그 시절로 끝이었네. 앞에서 누군가 넘어지면, 뒤처진 사람은 기회를 얻을 수 있지. 그게 당신이든 누구든 말이야."

"흠, 자네의 그런 음흉하고도 가식적인 모습을 알아챘어야

32

했는데, 그러지 못한 나 자신이 한심스러울 뿐이야. 이제 와서 누구를 탓하겠는가?"

"마음대로 지껄이게. 자네에게 협조할 생각은 조금도 없어. 돌아가게."

"자네가 그럴 거라고 충분히 예상했어. 협조문 내용대로 제니퍼는 수사 인력으로 데려가겠네. 그리고, 나도 자네에게 기대고 싶은 마음은 추호도 없어. 자네의 건투를 빌지."

문을 열고 내가 사무실을 나서려고 하자, 넬리는 두 주먹으로 책상을 힘껏 내리치며 소리쳤다.

"우리 일이나 방해하지 마!"

고함 소리에 고개를 돌리자, 넬리는 언제 그랬냐는 듯 움찔거리며 시선을 피해버렸다.

6. 잭과 피키 블라인더스

얼마 뒤 경찰청 맞은편 건물을 찾았다. 직원들의 안내를 받으며 잭이 머무는 병실로 들어섰다. 죄수용 병실은 좁고 해가 들지 않았다. 사방의 벽은 색이 바래졌고, 침침한 자국들이 그 위를 수 놓았다. 한 남자가 침대에 눈을 감고 누워 있었다.

"자네가 잭인가? 난 제터 탐정이라고 하네."

"또 저에 대한 조사인가요? 이미 다 말했다고요. 이젠 말할 기운도 없어요." 그는 등을 돌리며 외면했다.

"그런 말을 할 자격이 있다고 보나? 자네는 피해자인 척 하지만, 노인을 지속해서 폭행하고 돈을 갈취해 왔어. 노인에 대한 최소한의 미안함도 없나?".

잭은 몸을 반쯤 일으켜 앉았다.

"그래요. 노인을 폭행한 죗값은 받아야죠. 미안한 마음도 있어요. 그런데 저도 피해자라고요."

잭은 말하며 왼쪽 갈비뼈 근처를 부여잡았다. 왼쪽 심장 근처의 골절과 장기 파열로 인해 상태가 심각해지고 있다는 게 그의 표정에서 여실히 드러났다.

"그래. 그럼 몇 가지만 물어보겠네."

"……"

"직접 그자를 봤나?"

"전부 말한 그대로예요. 커다란 뿔이 달린 녹색 괴물, 몸은 엄청나게 컸어요. 사람이라고는 볼 수 없었고요."

이 자의 말을 나는 신뢰할 수 있을까? 순간 판단이 서지 않았다.

"자네. 한때 금지된 약을 유통하고 다녔었지?"

잭의 눈꺼풀은 무거워지고 동공은 아래로 떨구어지며 숨을 곳을 찾는 듯했다.

"무…… 무슨 대답을 원하시는 거죠? 내가 이상한 약이라도 했을까 봐요?"

"좋아. 그럼, 왜 노인의 돈을 뺏으려 했지?"

"그야 돈이 조금 필요했으니까요."

"돈? 얼마 안 되는 돈 때문에 그 어둡고 추운 날, 노인을 찾아갔다는 게 이해가 되지 않는군."

"그렇다고 사람들이 많이 오가는 시간에 갈 수 없잖아요? 안 그래요?"

"그렇지. 사람들이 없는 시간을 틈타 가야 했겠지. 자네는 주기적으로 그 구역의 노숙자들을 구타해 가며 돈을 갈취해 왔어. 아닌가? 거기서 걷힌 돈은 또 다른 큰 조직원에게 건네지지. 하필 자네가 수금하러 가야 하는 날짜가 바로 그날이었고."

"뭐라고요? 증거라도 있나요? 그런 말도 안 되는 추측으로 자백을 바라는 거예요?"

"그런 뻔한 거짓말로 뭘 감추려고 하나? 자, 이것을 보게."

빨간색 깡통을 그 앞에 놓았다.

"이건 어디서 났어요?"

"그 노인을 만나고 왔지. 빌이라는 노인 말이야. 자네에 대한 두려움이 대단하더군. 말을 전혀 꺼내려고 하지 않았지. 한데 빌이 들고 있던 깡통은 그만이 가지고 있었던 게 아니었어. 내가 그 노인을 찾으러 다닐 때, 누군가 똑같은 깡통을 들고 있던 걸 본 적이 있었어."

"그런데요? 그게 무슨 의미라고……."

"그 노인이 지녔던 깡통에는 빨갛게 칠해진 면 위로 P라는 머리글자가 쓰여 있었어. 빌은 대답하지 않았지만, 자네에게 반감이 있던 다른 노숙자로부터 그 깡통의 정체를 들을 수 있었지. P라는 머리글자는 피키 블라인더스의 약자를 뜻했지. 닥치는 대로 폭력과 살인을 저지르는 갱단. 자네는 그 노숙자들의 거처를 보호한다는 명목으로 돈을 뜯어 가는 조직원이었고."

"……."

"뭘 숨기나? 아직도 자네가 그 조직의 일원이 아니었다고 말하고 싶은가?"

"후. 제가 조직원이라고 해도 상관없어요. 언젠가는 풀려날 테니까."

잭은 눈을 질끈 감았다.

호흡을 가다듬고 잭을 불렀다.

"잭. 자네의 과거 수사 기록을 찾아봤네. 여러 번 경찰서를 드나들었던 기록이 남아있었어. 자네의 유년 시절, 집안 문제

36

로 적지 않게 방황했더군. 가출을 하고 나서 불량한 아이들과 어울리며 갈취와 폭력을 일삼았어. 그분만이 아니라 불법적인 일도 많이 저질렀더군. 지나온 선택들이 후회스러웠다면 지금이라도 늦지 않았네. 새로이 시작을 해보는 건 어떻겠나?"

"제 인생을 아는 것처럼 이래라저래라 하지 마세요."

잭은 고개를 돌려 시선을 벽으로 두었다.

"자네의 과거를 어느 누가 완전히 이해할 수 있겠나? 그렇다고 해서 자네의 불운했던 과거를 이유로 들어 모든 걸 용서받을 수 없네. 이제라도 반성하며 다른 삶을 살아봐야 하지 않겠나? 자네는 충분히 실수를 바로잡을 기회가 있네. 모든 건 자네의 마음에 달려있어."

"이제 나가 주세요. 제 모습이 안 보이세요? 다쳤다고요!"

"알겠네. 다음에 다시 오지."

나는 작은 십자가를 돌아누운 그의 머리맡에 두고 나왔다.

제니퍼는 다른 사람들과 함께 짐을 옮기며 투덜댔다.

"여기가 정녕 우리 사무실인가요? 빛도 별로 들지 않는 구석진 장소에서 일하라고 하네요. 아무리 경찰청에 비어있는 장소가 없다고 하지만 말이에요."

"내가 봐도 어둡고 비좁아 보이는군. 마음 같아서는 밖에다 사무실을 내고 싶지만, 장소가 나면 먼저 쓸 수 있도록 해준다고 하니 그때까지만 기다려보자고."

"네, 어쩔 수 없죠."

제니퍼는 짐이 무거웠던지 숨을 헉헉대며 이마에 흐르는 땀을 손등으로 쓸어내렸다. 마지막으로 남은 집기를 다 옮기고 나서 물 한 잔을 들이켰다. 사람들은 떠나고 제니퍼와 나만이 사무실에 남았다.

"미안하게 됐네. 제니퍼를 괜히 데려오겠다고 했나 싶어."

"아니에요. 넬리 경감은 이번 일이 아니었더라도 저를 어디로든 보냈을 게예요. 그는 속으로 잘됐다 그랬을걸요?"

뾰로통한 표정으로 턱을 받치며 말했다.

"그럴 리가 있나? 제니퍼처럼 착실하고 능력 있는 친구를 말이야."

"불행하게도 그 점은 제터 탐정님만 잘 아시는 것 같아요."

"이제, 정리는 어느 정도 됐으니 커피 한잔 마실까? "

"네, 제가 타 드릴게요. 잠시 기다리세요."

우리는 작은 갈색 원형 탁자를 사이에 두고 마주 앉았다. 커피잔에서는 여느 때보다 진한 김이 모락모락 피어올랐다.

내가 먼저 말을 건넸다.

"지금까지 우리가 조사했던 사람은 노인과 잭이야. 그들의 진술은 대체로 일치했어. 뿔이 달린 커다란 녹색 괴물을 보았다는 것이었어. 만약 진술이 사실이라면 사건 현장에서 셋은 어떻게 만나게 되었을까? 우연이었을까? 아니라면 과장된 진술이었을까?"

"저도 곰곰이 생각해 봤는데, 그 괴물의 정체는 잭에게 앙심을 품었던 노숙자 혹은 다른 범죄조직 구성원일 수도 있겠다는 생각이 들었어요. 혹시 누군가 변장한 채 숨어 있다가, 잭을 공격한 건 아닐까요?"

제니퍼가 말했다.

"물론 그럴 수도 있어. 마치 기다렸다는 듯이 달려들었다고 했으니까."

"다른 목격자가 나타나지 않으니 답답하네요."

"흠, 사건은 매우 추웠던 새벽 시간에 벌어졌으니, 목격자가 없다 해도 전혀 이상하지 않겠지. 하지만, 대신 몇 가지 단서를 발견했어. 바로 발자국과 나뭇가지네. 자, 이 사진을 한번 봐봐."

들고 있던 사진 한 장을 제니퍼에게 보여 주었다. 제니퍼는 고개를 쭉 빼더니 초점을 맞추려고 눈을 한껏 찡그리며 손바닥만 한 사진을 들여다보았다.

"희미해서 잘 보이지 않지만, 발자국은 탐정님의 손바닥보다 몇 배는 커 보이는데요."

"맞아. 이 발자국이 조작된 게 아니라면, 둘이 진술한 대로 커다란 괴물일 수도 있겠지. 발자국 모양이나 굵은 나뭇가지가 부러진 정도를 보면, 곰처럼 거대한 짐승에 의한 짓이니까. 그런데 말이야. 좀 이상한 부분이 있어."

"뭐에요?"

"그 발자국은 사건 현장 근처에서만 유독 선명했어. 멀리서 들어오고 나가는 길 위의 발자국은 희미하게 남아있었지. 반면에 그곳에서 발견된 다른 사람들의 발자국은 일정한 깊이로 남아있었어."

"그게 무슨 의미일까요?"

"글쎄, 물체가 누르는 압력이 어느 부분에서 변했다는 뜻인데. 내 상식으로는 좀처럼 이해되지 않는군."

잠시 후 제니퍼가 문 앞에서 부르는 누군가와 이야기를 주고받더니, 무슨 일이라도 일어난 것처럼 급하게 뛰어왔다.

"저기. 탐정님. 잭이 탐정님을 찾고 있대요. 병원에 가보셔야할 것 같아요. 상태가 좋지 않은가 봐요."

"그래? 알았어."

잭이 머무는 병동을 다시 찾았다. 병실에 들어가기에 앞서 주치의는 잭에게 주어진 시간이 얼마 남지 않았다고 내게 귀띔해 주었다. 문을 열고 잭을 보는 순간에도 그가 촌각을 다투는 상황이라는 걸 믿을 수 없었다.

"오셨어요. 제터 씨?" 며칠 전과 다르게 그는 상냥한 인사말을 내게 건넸다.

"그래. 잭. 몸은 좀 어떤가?"

잭은 침대를 짚고 몸을 움직거리더니 힘겹게 상체를 일으켰다.

"의사가 말하더군요. 이제 저한테 남은 시간은 얼마 없다고요."

그는 잠시 생각에 잠기는가 싶더니 어느새 눈가에 눈물이 글

40

썽거렸다.

"나도 믿을 수 없더구나. 그래도 절망하기에는 너무 이르지 않겠니?"

"제 몸이 거대한 힘에 이끌려 가는 기분이에요. 눈떠있을 시간이 얼마 남지 않았다고 생각하니까 제대로 잠을 이룰 수 없었어요. 밤새 생각을 많이 했어요. 지나간 날들이 하나하나 머릿속을 스쳐 지나는데 후회만 되더라고요. 그러다 아저씨가 한 말들이 떠올랐어요. 떳떳한 삶이 뭘까? 속으로 수십 번 아니 수백 번 생각 해 봤어요. 제 과거들, 지우고 싶은 과거들. 그걸 반성하는 게 순서일 거라고 생각이 들었어요. 그래서 아저씨를 불러 달라고 했어요."

"그래. 잘 생각했다."

잭은 멍하니 천장을 쳐다보았다.

"어릴 적 우리 집은 학교도 제대로 보낼 수 없는 형편이었어요. 친구들은 저한테 손가락질하며 거지 취급을 했죠. 집에서는 부모님이 툭하면 물건을 집어 던지고 싸우고, 절 때렸어요. 그래서 오히려 집 밖이 편했어요. 그러다 나쁜 길로 접어들었죠. 열여섯 나이에요."

"이른 나이에 집을 나와 힘들었겠군."

"네, 그렇게 방황하다 그들을 알게 되었어요. 피키 블라인더스요. 양복을 빼입은 그들이 멋있어 보였어요. 그들과 함께하려면 어떤 밥벌이라도 해야 했어요. 전 그들의 명령을 따라 금지된 약을 전달하고, 폭력을 앞세워 대가를 받았죠. 그 지역의 노숙자들을 관리하는 것도 제 몫이었어요. 제가 원하던 삶은 아니었지만 얼마 지나지 않아 죄책감은 사라졌어요. 눈앞에 아무것도 안 보였죠. 돌이켜보니 어느 순간 저는 난폭하고 잔인한 놈이 되어 있었어요."

사악한 영혼으로부터 탈출한 듯한 눈물 한 방울은 도르르 잭의 뺨으로 떨어졌다. 난 그에게 다가가 침대 끄트머리에 걸쳐 앉았다.

"아직 속죄할 시간은 남아있단다. 그러니 지금은 회복에만 집중하려무나."

잭은 고개를 숙이며 눈을 감았다.

"제 잘못은 용서받기 힘들 기예요. 두려워요. 제 운명이 어디로 흘러갈지 말이에요."

그는 분명 기로에 서 있었다. 용서와 죽음으로부터 말이다.

"큭"

잭은 괴로운 듯 신음과 함께 아픈 부위를 감싸 안았다. 그리고 손으로 얼굴을 가리며 숨죽여 흐느꼈다. 그에게 다가가 들썩이는 등을 토닥거려 주었다. 한참 동안 그는 나의 목 너머에서 울음을 그치지 않았다.

얼마 지나지 않아 두 가지 내용이 전해졌다. 잭은 병세가 짙어지는 고통 속에서 삶을 달리했다. 그는 금지된 약 운반 및 소지 혐의와 폭력혐의를 받는데, 그의 사망으로 사건은 모두 종결되었다. 넬리 경감이 이끄는 수사팀은 여러 명을 잡아들였는데, 이 사건을 피키 블라인더스와 앙숙인 버밍엄 보이즈 간의 폭력 사건으로 결론짓고 양쪽 조직원들을 다수 구속하며 사건을 마무리 지었다. 물론, 제대로 된 증거 없이 졸속으로 끝내버린 느낌은 지울 수 없었지만, 하이드의 존재가 사람들로부터 잊히는 건 이제 시간문제로 보였다.

소식을 들은 지 얼마 지나지 않아 넬리 경감이 사무실을 찾아왔다. 그가 사무실을 찾아온 것은 이번이 처음이었다.

"어쩐 일인가? 좋은 소식을 가져온 건 아닐 테고."

잠시 그에게 눈길을 주다 타자를 이어나갔다. 넬리는 제니퍼 자리에 털썩 앉았다.

"제터. 이제 짐을 싸서 돌아가야 하지 않겠나? 수사도 적당히 마무리되었으니."

넬리는 말하면서 책상 위를 여기저기 뒤적거렸다.

"넬리, 거기는 제니퍼 책상이네. 허락 없이 손대지 말게."

그는 눈을 치켜뜨며 대답했다.

"난 그들을 관리하고 감독할 의무가 있네."

"여기는 자네와 별개의 수사 공간이기도 하지. 서로 협조하거나 간섭하지 않기로 한 걸 벌써 잊은 건 아니겠지?"

그는 으르렁대지 않는 성난 개처럼 굴었다.

"어서 대답이나 해. 결과를 인정하고 돌아가겠다고 말이야."

"난 그 결과를 인정하지 못하네. 그리고 아직 돌아갈 생각도 없어. 이곳에 남아서 해야 할 일이 많거든. 그런데 자네가 해결했다던 사건 말이야. 아직도 이해되지 않아. 명백한 증거도 없이 갱단 사이의 다툼으로 사건을 매듭지어버렸다는 게 말이야."

"제터. 아직도 하이드에 미련이 남아있나? 자네는 마치 종말론에 심취한 점성술사 같아. 실현되지 않을 종말론을 떠들어대며 사람들을 현혹하지. 하지만 여기까지야. 더 이상 자네 할 일은 없네. 어서 런던으로 돌아가게!"

그때 문이 열리면서 제니퍼가 사무실로 들어왔다.

"어머. 경감님께서도 계셨네요."

제니퍼는 깜짝 놀란 표정으로 주춤거렸다.

"제니퍼. 다녀오느라 수고했네. 우선 몸 좀 녹이지."

"네."

제니퍼는 근처에 있던 벽난로에 다가가 빨갛게 변해버린 볼을 손으로 감쌌다.

"어디 다녀온 거야?"

넬리는 제니퍼를 쳐다보며 쏘아붙였다.

"살인사건 현장을 다녀왔습니다."

"살인사건이라고? 보고된 내용이 없었는데? 그래 무슨 사건인지 말해봐."

"아. 아직 경감님은 모르셨군요. 곧 보고가 올라 갈 겁니다. 지금 말씀을 좀 드리자면, 사건은 교도소 담장 근처에서 일어났고, 피해자 이름은 피에르라고 합니다. 교도소 관계자에 따르면 피에르는 오늘 오전에 출소했고요. 그는 교도소 출입구에서 얼마 떨어지지 않은 장소에서 발견되었습니다. 머리 부분에 피를 흘리며 쓰러져 있었고, 병원으로 이송되었지만 결국 사망했습니다."

넬리는 미간을 찌푸리며 손을 내저었다.

"잠깐만 제니퍼. 자네가 그걸 왜 조사하고 있지? 이건 하이드와 아무 상관 없는 일이야. 그리고 이런 중대한 사건을 곧 떠날 사람에게 발설하고 있다니, 자네 제정신인가?"

"네?"

제니퍼는 어안이 벙벙한 듯한 표정이었다.

"이봐 넬리 경감. 제니퍼는 내 지시를 따랐을 뿐이야. 제니퍼에게 그런 쓸데없는 압력은 거두게. 우리는 하이드와 관련이 있다면 어떤 것이든 조사할 거야. 특히 이번 사건처럼 가해자의 정체가 드러나지 않는 사건이라면 더욱더 말이야. 아직 내 임무는 끝나지 않았어. 그러니 자네 자리로 돌아가게."

"뭐라고! 누가 이런 강력 사건을 자네의 임무라고 맡기던가? 이건 버밍엄 경찰청의 치욕이야. 난 믿을 수 없어. 이 문제는 중앙경찰청에 분명히 따져보겠네. 더 이상 참을 수가 없군!"

넬리는 벌떡 일어나 출입문으로 향했다. 그러다 제니퍼와 마주치자 잠시 멈추더니 이내 밖으로 사라졌다.

"휴"

제니퍼는 안도가 넘치는 긴 한숨을 내쉬고는 씽긋 웃었다.

"제니퍼. 미안하네. 이건 나와 넬리 사이의 문제인데, 제니퍼가 중간에서 고생이 많아."

"아니에요. 담담해 보이려고 애썼는데, 넬리 경감이 쏘아붙일 때는 제 심장이 말을 듣지 않더라고요. 콩닥거리는 심장 소리가 제 귀를 맴돌면서 식은땀이 흐르더라고요."

"나도 그의 협박을 한두 번 겪은 게 아니네. 넬리도 겁박만으로 나를 끌어내릴 수 없다는 걸 잘 알 거야. 임무 종료는 중앙경찰청에서 결정할 일이니까. 우리는 사건에만 집중하면 돼. 너무 걱정하지 말게."

"물론이죠. 탐정님. 걱정 마세요."

"고맙네. 제니퍼."

7. 교도소 담장

 다음 날 아침, 안개가 채 걷히지 않은 시간이었다. 교도소는 버밍엄에서도 외곽 지역에 있었다. 교도소가 주는 혐오감 때문인지 근처에는 공공시설들이 들어선 것 말고는 일반적인 주거시설과 상업시설은 찾아보기 힘들었다. 잘 정돈된 느낌의 인도는 도로와 구분되었고, 바닥에는 네모난 돌들이 줄을 맞춰 깔려 있었다.

 "호외요!"
 어린아이의 옆구리에는 호외가 잔뜩 들려있었다. 아이는 여러 장을 잡아 공중으로 뿌리며 소리쳤다.
 "버밍엄에서 벌어진 강력 사건에 대한 속보예요!"
 사람들은 호외를 주워 펼쳐보았다. 내용은 대략 이러했다.

 - 월요일 오전 피에르라는 사내가 교도소에서 출소한 지 한 시간도 지나지 않아, 누군가에 의해 파손된 담장 앞에 쓰러진 상태로 발견되었다. 그는 병원으로 옮겨졌지만 끝내 사망에 이르렀다. 특히 이번 사건은 지난 갱단 사이의 강력 사건이 잊히기도 전에 조용한 버밍엄 마을에서 일어난 살인 사건이라 많은

사람에게 충격을 안겨주었다. 경찰은 피해자 주변 인물들에 대한 면밀한 조사를 벌이겠다고 밝혔다.

"살인 사건이 벌어졌군요."

진중한 콧수염을 지닌 남자가 말했다.

모여 있던 사람들은 기사를 읽으며 저마다 한마디씩 했다.

"조용하던 마을에서 무슨 날벼락이에요?"

한 노파가 말했다.

"교도소에서 출소한 사람이 글쎄 근육질의 깡패라고 하더군요. 그런 사람을 때려죽일 정도로라면 누구겠어요? 게다가 교도소 담장까지 부서졌다고 하더군요."

또 다른 노파가 말했다.

"경찰은 또 하이드가 아니라고 하는데, 믿을 수가 없네요."

남자는 고개를 절레절레 흔들었다.

"그러게, 말입니다."

"어서 해가 지기 전에 다녀옵시다."

남자들은 옷깃을 여미며 자리를 떠났다.

나는 피에르가 나왔을 경로를 예상하며 따라가 보았다. 교도소에서 나와 좌측 높은 담장을 따라 이백오십 보 걷다 보면 가로등 하나가 나타나는데, 거기서 다시 왼쪽으로 방향을 돌려 칠백오십 보 직진하다 보면 사건 장소가 나타났다. 시간은 십여 분이 소모됐다. 사건현장은 교도소 출입구에서 꽤 떨어져 있었다. 주변에는 별다른 건물을 찾아볼 수 없었다. 11시 30분경 피에르가 출소한 시간부터 모든 건 백지상태였다. 12시에 출감된 출소자들이 이 길을 지나치다 피에르를 발견하여 경찰에 신고했기 때문에 불과 30여 분 만에 모든 상황은 종료되었다는 뜻이었다. 여기서 두 블록을 지나가면 또 다른 대로가 나온다. 신문기사에 따르면 사건이 발생했던 시각보다 좀 더 이른 시각에 대로 근처에 있던 마차와 마구간이 누군가에 의해 모두 불탔다고 한다. 모두가 불을 잡으려고 애쓰는 순간, 살인사건은 다른 한쪽에서 벌어지고 있었던 것이다.

"제터 탐정님. 오셨네요."

사건 현장에 먼저 도착한 제니퍼는 나를 보자마자 밝은 표정으로 인사를 건넸다.

"그래. 난 교도소 주변을 돌아보고 오는 길이야. 어린아이가 호외를 뿌리며 다니더군. 생각보다 사건 소식이 외부로 빨리 알려진 것 같아. 마을 사람들도 이미 아는 눈치고."

"네, 아침 일찍부터 취재하러 온 기자들이 보이더라고요."

"제니퍼, 사건 당일 비슷한 시간대에 방화가 일어났다면서?"

"네, 그리 멀지 않은 곳에서 마차 두 대에 불이 났다고 하더라고요. 아직 누구 소행인지는 밝혀내지 못했어요."

"음, 사건 현장을 먼저 확인해야겠군."

피에르가 쓰러져 있던 장소를 가보니, 그가 흘린 피로 보이는 검붉은 자국들이 길 한가운데서 길가로 퍼져 있었다. 나는 낮은 자세로 기어가듯 걸으며 누군가 흘렸을 단서들을 찾는 데 집중하였다. 바람이 머무는 담장 모서리 한구석에는 천 조각들과 실뭉치들이 흩어져 있었다. 그것들을 집게로 집어 수거함에 담았다. 남은 단서가 많지 않았다.

"먼저 왔던 수사관들이 앞마당을 쓸 듯 지나갔군."

"피에르 머리가 담장에 부딪친 걸까요? 아니라면, 담장에 파인 흔적은 뭘까요?"

피에르가 쓰러져 있었던 자리를 살피던 제니퍼가 물었다.

"머리에 남은 흔적으로 보아 결정적인 사인은 평평한 어딘가에 부딪치거나 쓰러지면서 발생한 충격으로 인한 것이었어. 담장이 파였던 정도의 충격을 받았다면 상상하기 힘든 몰골이 됐을 거야. 어제 오후에 그의 시신 상태를 확인 해 보았을 때도 알 수 있었지. 한쪽 손가락뼈는 으스러질 정도로 누군가에게 꽉 붙들렸던 흔적이 남아 있었고, 그의 옷에는 이끼와 젖은 흙이 군데군데 묻어 있었지. 그런 것으로 보아 바닥에 돌이 없는 여기쯤에서 두 명은 먼저 몸싸움을 벌였을 거야."

"정말이네요. 다른 데와 달리 여긴 흙바닥이에요. 파릇한 이끼도 깔려있고요."

"피에르는 힘에서 압도당하자, 담장 앞까지 물러섰겠지. 그때 얼굴로 향하던 뭔가를 피했던 것 같아. 담장이 파일만큼 굉장한 힘이었어. 그러다 필사적으로 도망치려 했을 거야. 하지만, 목덜미 부분을 가격당하면서 그대로 고꾸라졌겠지. 이마에 난 상처와 바닥에 보이는 흔적은 그가 손쓸 틈조차 없이 순식간에 앞으로 넘어졌다는 뜻이거든. 물론 모든 건 가정이네. 이제 단서로 제대로 범인을 찾아야지."

"오. 그런데요. 그런데 말씀을 듣다 보니 하나 의문이 생기네요. 범인은 왜 처음부터 흉기를 사용할 생각은 안 했던 걸까요? 몽둥이라든지 하물며 널브러져 있는 돌이라든지 말이에요."

"제니퍼 말대로 피에르 몸에서는 흉기로 인한 상처는 발견되지 않았어. 처음부터 흉기로 해하려고 마음먹었다면 당연히 그랬을 거야. 그런데, 그러지 않았어. 거구의 갱스터를 상대할 자신감이 없었다면 애초에 덤비지도 않았겠지. 그렇다 치더라도 좀 이상한 면이야."

"그러게요. 어? 저건 경찰청 마차인데?"

"무슨 일이라도 있나? 사람들이 모여드는군. 우리도 가보세."

마차는 교도소 앞에서 멈췄다. 사람들에게 둘러싸인 넬리 경감은 작은 연단 위에서 사건에 대한 기자들의 질문에 답하였다.

"이번 사건으로 목숨을 잃은 피에르라는 남자는 어떤 사건으로 복역하고 있었습니까?"

"에-. 피에르는 방화 및 폭력혐의로 수감되어 있었습니다. 그리고 어제 형을 마치고 막 출소한 상태에서 누군가에게 습격당한 것으로 추정됩니다."

"피에르는 혐의에 비해 양형이 짧아 논란이 되었던 인물이라고 들었습니다만."

"제가 답변 할 질문이 아닙니다. 다른 분 질문 하시죠."

다른 사람이 질문을 이어갔다.

"피해자는 머리에 충격을 받아 두개골이 금이 갈 정도였고, 주변의 담장도 파손되었다고 하던데, 어떻게 된 건지요?"

"누군가에 의해 쇠몽둥이와 같은 단단한 것으로 머리를 가격 당한 것으로 판단됩니다. 담장도 그때 파손된 것이겠지요. 우리는 범인과 함께 범행에 사용된 도구도 찾고 있습니다."

"일각에서 말하는 하이드와는 관련이 없는지요?"

"여전히 하이드가 곳곳에서 날뛰고 있군요. 대답할 가치도 없습니다."

빨간색 정장 차림으로 눈에 띄었던 줄리오가 손을 번쩍 들었다.

"하이드와 관련이 없다고 하셨지만, 이미 런던 경찰청에서 하이드를 수사할 사람을 파견했다고 알고 있는데요. 그렇지 않나요?"

"허, 어디서 들었는지 모르지만, 뭐. 사실입니다. 지원 인력을 보내는 것까지 마다할 이유는 없겠지요. 하지만, 범인이 하이드라고 하든 그렇지 않든 우리 버밍엄 경찰청 수사자원만으로 충분히 해결될 수 있는 문제들입니다. 파견된 사람은 필요 없는 상태입니다. 조만간 위원회가 열리고 이 문제는 매듭지어질 것입니다."

넬리는 비교적 여유롭게 대답했다.

"중앙정부에서 수사 지원 인력을 보냈다는 건 버밍엄 경찰청의 수사 능력에 문제가 있다는 방증 아닙니까? 몇 년 전부터 미해결 사건이 많아 중앙경찰청으로부터 지적을 받았던 건 사실 아닙니까?"

그러자 넬리는 갑자기 화가 난 듯 이리저리 발을 구르며 날뛰다시피 했다.

"말도 안 돼. 당신! 거짓 소문에 허위 기사를 써댄 대가를 제대로 받을 줄 알아. 알았어?"

기자들은 바쁘게 사진을 찍어댔다. 줄리오는 어이없다는 듯 동료 기자들을 향해 아랫입술을 삐죽 내밀고 어깨를 들썩였다. 다시 넬리 경감을 쳐다보았다.

"지금 저를 협박하는 거예요?"

"뭐라고!"

둘의 극에 달한 신경전은 주변 사람들의 중재로 이어졌다. 소란이 진정되자 제니퍼와 함께 그곳을 빠져 나왔다.

제니퍼는 피곤한 기색이 역력했다.

"휴. 오늘은 저 정도로 끝났으니 다행이네요."

"줄리오 기자는 언제부터 경찰청에 드나들게 되었지?"

"글쎄요. 사오 년 전쯤이었을 거예요. 취재하러 여기에 왔었죠. 그런데 처음부터 둘의 관계가 심상치 않아 보였어요. 지금처럼 서로 만나기만 하면 으르렁댔으니까요."

"줄리오 기자에 대해 들은 이야기는 없고?"

"음…… 듣기로는 넬리 경감과 줄리오 사이에 악연이 있었다고 하더라고요. 그러니까, 오래전에 줄리오 아버지가 한 정치

인과 연루된 범죄 혐의로 재판을 받고 투옥되었는데, 그때 수사를 주도한 사람이 넬리 경감이라고 하더라고요."

"그래?"

"네, 그러고 나서 줄리오 아버지는 혐의를 풀지 못하고 형을 살다가 이유 모를 병으로 사망했다고 하더라고요."

"흠. 그런 일이 있었군. 알겠네. 난 잠시 다녀올 때가 있어. 경찰청에서 봅시다. 제니퍼."

"네, 탐정님."

8. 친구 헨리

　경찰청에서 30분 남짓의 거리에 있는 번화한 5층짜리 건물 입구에 들어섰다. 이곳은 각지에서 몰려든 원단 도매상들로 가득했다. "이곳 원단 공급처가 사라지면, 버밍엄 사람들은 옷을 입지 못한다."라는 우스갯소리가 반쯤은 맞는 듯하였다. 특별 회원만 지나갈 수 있다는 좁은 통로를 통해 3층으로 올라가 오동나무의 숨결이 느껴지는 작은 문 앞에 섰다. 노크를 두 번 하고 문을 열었다. 그러자 구불구불한 머리카락이 매력적인 헨리는 안경테를 살짝 내리며 나를 쳐다봤다.

　"버밍엄에 돌아왔다는 소식을 듣고 기다렸네."

　그는 알 듯 모를 듯한 미소를 지었다.

　"헨리. 여전히 작업장은 정신이 없구면."

　그의 손아귀 힘은 여전했다. 작업장의 중앙에는 케케묵은 원단들이 수북이 쌓여 있었고, 한편에는 넓은 책장이 벽면을 가리고 있었는데, 그가 수집해 두었다는 고서들로 가득했다. 헨리는 아래위로 시선을 옮겼다.

　"자네에게는 런던의 품격이 느껴져. 어디서 만든 신사복인지 몰라도 참 잘 어울리는군."

　"흠, 자네가 만들어 준 옷이라고 생색내려 하는군. 유행이 좀 지나서 그렇지 옷은 잘 맞네."

"유행은 무슨, 이렇게 반 십 년마다 찾아오는 사람한테 맞춤 옷이라도 해주는 친구가 있어서 얼마나 다행인가?"

"그래. 고맙게 생각하고 있네. 그런데 오늘은 맞춤옷 말고 잠시 자리 좀 빌려 써야겠어."

"자네는 친구가 그리웠던 게 아니라, 내 작업공간이 그리웠던 거군."

"여보게, 헨리. 어서 비켜 주게나."

암갈색의 거친 무늬가 그려진 커다란 작업대 위에는 빛바랜 황동색의 현미경이 놓여 있었다. 천 조각을 현미경 재물대에 올려놓고 배율을 맞춰갔다.

"이런 건 처음 보는데. 뭔가 다른 처리가 되어 있어."

고개를 갸웃거리자, 헨리가 안경을 고쳐 쓰며 다가왔다.

"결국, 나에게 넘어올 문제였어. 자네가 모르는 걸 보니, 특수한 직물인 것 같군. 내가 한번 확인해 보겠네."

헨리가 나를 일으켜 세우고는 작은 의자를 차지했다.

"이건 어디서 구했나?"

헨리는 미세한 손 움직임으로 현미경의 배율을 조절하며 물었다.

"이건 사건 현장에 있던 단서 중 하나네. 중요한 물증이 될 수 있으니까, 잘 좀 확인해 줘."

한참을 들여다보던 헨리는 책상으로 가더니 오른쪽 서랍을 열고 성냥 함을 가져왔다. 작업대 위에 있던 기다란 천을 들고

서 물었다.

"여기에 불을 붙여 봐도 되겠나? 심심해서 그러는 건 절대 아니네."

"음, 필요하면 해보게. 증거물은 충분히 남아 있으니까."

헨리는 성냥을 켜 천에 불을 가져다 대었다. 천에 불이 붙는가 싶었지만, 좀처럼 확 타오르지는 않았다. 시간이 한참 지나서야 불은 조금씩 붙더니 타올랐다. 헨리는 후-하고 재빨리 불을 껐다.

"그렇군. 이건 특수 방염 소재의 천이라네."

"특수 방염 소재?"

"그래. 불에 잘 타지 않도록 처리한 특수한 천이지. 열을 많이 다루는 곳에서 쓰이네. 고가의 재질이라서 유통이 많은 편은 아니네."

"그럼, 이 천이 어디로 팔렸는지 알 수 있나?"

"이 재질의 천이 쓰이는 곳은 매우 한정적이라서, 제작한 업체와 유통경로는 어렵지 않게 파악할 수 있을 거야. 급하지 않으면 차라도 한잔하고 들어가게."

"시간이 없네. 다시 경찰청에 들어가 봐야 해. 확인되면 내게 바로 연락해 주게."

"이런. 자네와 이렇게 애틋해서야 하겠나?"

"미안하네. 서두르는 걸 좋아하지 않지만, 이번은 어쩔 수 없어."

"알았네. 곧 연락해 주겠네. 잊지 말게. 한턱."

"그러지."

경찰청으로 돌아와 제니퍼와 머리를 맞대고 사망한 피에르의 종적을 찾아보았다. 이 일이 일어나기 직전의 사건을 주목했다.

"자. 이제 피에르의 과거 행적을 살펴봐야겠어. 제니퍼, 피에르의 과거 판결문을 찾아줘."

"네, 알겠습니다."

제니퍼는 얼마 되지 않아 몇 권의 두툼한 판결문을 가져왔다. 가져온 판결문에는 마지막 사건의 전모가 고스란히 쓰여 있었다.

"그러니까, 피에르가 탐이라는 사람을 상대로 투자 명목으로 자금을 끌어다 쓴 게 문제가 된 거네요."

제니퍼는 펼쳐 둔 페이지를 보여줬다.

"음, 그러니까 자금을 제멋대로 유용하다 들통나 버리자 탐을 협박하며 폭행했군."

"네, 하지만 재판부는 피해가 심하지 않다고 판단을 한 것 같아요. 피에르는 단순 폭행죄로 며칠만 구치소에 머무르다 풀려났어요. 그리고 결국 피에르는 탐을 다시 찾아가게 되었고요."

손으로 글을 짚으며 내용을 살펴보았다.

"피에르는 탐을 찾아가 폭행하는 것은 물론 돈을 훔치고 그의 집을 불살랐어. 정확한 의도는 알 수 없지만, 탐과 관련된 증거를 모두 인멸하려고 했을지도 모르겠군. 심한 화상을 입은 탐은 바깥 활동도 제대로 할 수 없는 상태가 되어 버렸지. 하지만, 피에르는 내로라하는 변호인단을 동원 해 결국 단기형을 처분받았어. 그리고 그날은 피에르가 형을 마치고 출소를 하던 날이었고."

"그러니까 탐은 금전 문제에 이어서 연이어 폭행당하고, 화재로 재산도 잃고, 화상으로 인한 고통을 겪으면서 복수의 칼을 갈고 있었을 수도 있었겠네요."

"그런 가정도 가능하겠군. 당사자의 마음을 온전히 이해하기 어렵겠지만 말이야. 지금으로써는 탐이 유력한 용의자 중 한 명인 것만은 분명해 보이지만, 그 누군가를 지목하려면 확실한 증거가 더 필요해."

"증거가 될만한 게 많지 않아서 문제네요."

"제니퍼는 이걸 좀 조사해 줘야겠어."

책상 서랍에서 길게 말린 종이 한 장을 꺼내 양손으로 끝을 잡고 펼쳤다.

"이건 지도네요. 어? 버밍엄 지도인데?"

"맞아. 버밍엄 시내지."

지도에 몇 가지 경로를 펜으로 그었다.

"아직 용의자를 찾는 수준이지만, 만약 탐이 범인이라면 주거지에서 이런 경로들을 따라서 움직였을 거야. 경우의 수가 많아서 조사하는 게 쉽지는 않겠지만, 면밀하게 이동 거리와 이동시간을 알아봐 줘."

"물론이죠."

"고맙네. 제니퍼."

어느새 햇살은 비스듬한 기울기로 그림자를 길게 늘어뜨렸다. 나른한 오후는 성큼성큼 내닫는 소리가 들리자 달아나 버렸다. 먼지가 풀풀 날리는 걸음으로 다가온 소포 배달원은 서류봉투를 책상 위에 사뿐히 올려놓았다.

"안녕하세요? 제터 씨. 헨리 씨가 전해 달라고 하셨어요."

"오! 기다렸는데, 빨리 와줬군. 카터 군. 고맙네."

조심스럽게 갈색의 서류봉투를 열었다. 증거 물품과 함께 헨리가 쓴 편지가 담겨 있었다.

- 제터, 이 천으로 만들어진 옷은 우리 공장에서 버밍엄의 코터리지에 있는 제련공장으로 출고가 되었네. 다행히도 특수한 주문이라 찾기가 수월했네. 천을 확대해 보았을 때 칼로 잘린 모습이 아니었어. 높은 압력을 받은 실이 늘어지고 끊어진 흔적이 보였네. 그게 무엇인지는 모르겠어. 제련공장의 위치를 알려 줄 테니 자네가 찾아가 보도록 하게.

피에르와 관련된 법원 서류를 한참 뒤적거렸다. 마침내 탐이 코터리지에 있는 제련공장에서 일했다는 사실을 발견하게 되었다.

9. 제련공장

　곧장 경찰청을 나와 마차를 잡아탔다. 한참을 달려 도착한 공장은 그 크기가 방대해서 출입구가 한눈에 들어오지 않았다. 더군다나 공장 외부는 나무울타리로 둘러싸여 있어서 아무 곳으로나 들어갈 수 없었다. 공장 주위를 한 바퀴쯤 돌고 나서야 사내 두 명이 지키고 서 있는 출입구를 찾을 수 있었다.

　"무슨 일이오?"

　"버밍엄 경찰청에서 왔소. 수사를 위해 잠시 누군가를 만나야 하오."

　"경찰이오?"

　"여기 확인하시오."

　수사를 위한 증명서를 내보이자, 둘은 고개를 끄덕이더니 나를 사무실로 안내했다. 사무실 직원의 도움을 받아 탐이 일하고 있는 현재 위치를 확인하고, 몇 마디를 나눈 후 밖으로 나왔다. 가는 도중 눈에 띄는 커다란 건물에는 높은 굴뚝이 우뚝 솟아 있었고, 건물 외부에는 작업 도중 쏟아져 나온 자재들이 켜켜이 쌓여 있었다. 먼저 사무실 직원이 말해준 작은 건물로 향했다. 그 건물은 단층으로 작업자들이 탈의하고 휴식을 취하거나 식사하는 곳이라고 했다. 문을 열고 들어서자, 말대로 단조로웠다. 내부 공간은 한쪽으로 길게 뻗어졌고, 그 뻗은 양쪽으로 몇 개의 벤치가 놓여 있었으며, 오른쪽 벽면으로 칸이 여러 개 나뉘어져 있는 높은 사물함이 벽면을 채웠다. 사물함 칸마다 자신들 이름을 연필로 표기해 두었다. 탐이라고 적힌 이름을 찾아보니 뻥 뚫린 사물함에는 작업복은 없고, 기워 놓은 양말들만 잔뜩 쌓여 있었다. 다른 사물함에 놓인 작업복을 확인하는 순간, 떠들썩한 소리와 함께 사람들이 문을 열고 들어왔다. 시커멓고 너덜너덜해진 작업복 차림의 사람 중 구레나룻을 따라 덥수룩한 수염을 지닌 키 큰 사내가 험상궂게 내 앞에서 멈췄다.

"못 보던 사람인데. 이봐, 당신 누구요?"

"제터라고 합니다. 런던경찰청에서 파견을 나왔지요."

그는 대답을 듣고는 한 걸음 물러나 벤치에 털썩 주저앉았다.

"혹시 탐을 알고 계시오?"

그는 머리를 긁적였다.

"탐? 잘 알지요. 같이 일하고 있으니까. 그런데 탐이 무슨 죄라도 저질렀소?"

"아닙니다. 다만, 확인할 게 있어서 조사를 진행 중이지요."

"그래요? 탐은 아직 작업장에 있습니다만."

"그럼, 몇 가지 묻겠습니다. 이번 주 월요일, 탐이 늦게 출근했다는데 기억 나십니까?"

"대답해야 하는지 모르겠지만, 물론 기억하죠. 내가 그날 오전 일 마치고, 휴게실에 잠시 들렀다가 바로 식사하러 갔으니까…… 탐은 오후 한 시 전후로 온 거 같네요. 점심 먹고 왔더니 여기 앉아 있더라고요. 평소에 늦는 법이 없는데 그날따라 늦게 와서 좀 의아했소."

"뭐, 다른 일은 없었소? 특이했거나."

"글쎄…… 아! 그날 공장 한구석에 낯선 마차가 보였소. 그런데, 탐이 퇴근할 때 그 마차를 몰고 가려고 거요. 그래서, 저 마차를 어디서 가져왔냐고 물어봤소. 그랬더니 사촌한테 잠시 빌렸다고 말하는 거야."

"그랬군요. 탐이 종종 마차를 몰고 오는가요?"

"아니요. 처음 봤소. 하긴 그런 비싼 마차를 몰 형편은 아니지."

"그게 무슨 말이오?"

"사기를 당해서 수중에 돈이 없다면서 나한테 돈을 조금 빌려 간 적이 있었는데, 아직 그 돈도 받지 못했다니까. 하지만 그 친구 사정이 딱해서 이자도 받지 않고 기다려 주고 있소. 화상으로 얼굴도 저렇게 됐으니 이해할 수밖에 없지 않나?" 그는 체념한 듯 한숨지었다.

"그랬었군요. 말씀해 주셔서 고맙습니다. 덕분에 도움이 많이 됐군요."

"뭐. 그럼 수고하시오."

눈인사를 건네고 건물을 나와 탐이 일하고 있다는 커다란 건물로 발걸음을 옮겼다. 건물 안으로 들어서자 끓어오르는 용암을 담은 듯한 커다란 용광로를 두고, 시뻘겋게 달아오른 쇳물을 녹이는 작업자들은 누군가가 드나드는 것에 개의치 않았다. 얼굴이 화끈거릴 정도로 열기가 대단했다. 먼지는 물론이거니와 코로 흡입되는 유해 연기로 인해 숨을 제대로 쉬기 힘들었다. 또 어찌나 시끄러운지 조금 떨어진 사람들 말소리는 다른 소음에 파묻혀 버렸다. 넓은 공간에 퍼져있는 사람 중에 그를 찾기 위해 철제로 이루어진 이층 계단에 올라섰다. 뿌연 연기 사이로 탐을 발견했다. 그는 다른 작업자들과 마찬가지로 쇳물 사이에서 분주하게 움직였다.

오른쪽 눈 밑 광대뼈 주변과 코를 덮고 있는 검붉고 우둘투둘한 피부가 도드라지게 보이는군. 누가 봐도 저 사내가 탐이겠어.

공장을 메운 메케한 냄새로 호흡이 가빠졌다. 그곳을 피해 그가 나올 때까지 밖에서 기다리기로 했다. 주머니에서 빵 조각을 하나 꺼내 입에 물고는 작은 건물에서 조금 떨어진 곳에서 그를 기다릴 겸 커다란 나무에 등을 기대고 앉았다. 해가 떨어지자, 수사 인력들은 짐을 챙겨 차례로 공장을 떠났다. 늦은 저녁까지 지루한 기다림은 이어졌다. 기지개를 켜며 넌지시 작은 건물을 바라보았다. 그때, 커다란 작업 건물에서 누군가가 걸어 나오더니 작은 건물 옆 창고로 들어가는 모습이 보였다. 이내 그는 무언가를 들고나와 작은 건물 오른쪽으로 방향을 틀었다. 그리고 시야에서 사라졌다.

그가 다시 나타날 때쯤, 작은 건물에서 튀어나온 약한 불빛은 그가 탐이라는 사실을 알아차리게 했다. 곧바로 그가 사라졌던 어두컴컴한 길을 거슬러 올라갔다. 그리고, 거기서 뭔가를 발견했다.

10. 탐과 피에르

사건이 발생한 지 사흘이 지난 뒤였다. 버밍엄 경찰청에 마련된 작은 공간에는 버밍엄 수사팀과 런던 경찰청에서 파견 나온 관계자들이 모였다. 조사에 앞서 인사를 나누었다. 넬리 경감은 미동도 없는 눈동자에 메마른 얼굴로 앉아 있었다.

"자네도 와 있었군."

"제터. 이번에는 부디 괴물을 잡는 성과를 올리길 바라네. 위원회에서 자네를 마냥 기다려 주지 않을 거야. 어디 그뿐이겠나? 다시는 이 세계에 발을 들여놓기도 힘들겠지."

"넬리. 자네와 동선이 겹치게 돼서 유감이군. 내 걱정은 하지 말고, 자네 일에나 집중하게. 해결 못 한 사건들이 차고 넘친다고 들었네만. 아닌가?"

"뭐야!"

그때. 사무엘 총경이 넬리를 부르며 그의 떨리는 어깨를 부여잡았다.

"넬리 경감. 자네가 위원회에 올린 내용은 알고 있네만, 제터는 지금 특별한 임무를 부여받고 사건을 조사하고 있으니, 조금 너그럽게 협조해 주길 바라네. 이건 내 명령이 아니라 총리실 명령이야."

"어떻게 저런 사설탐정 따위에게 협조하라 말할 수 있습니까? 이건 말도 안 됩니다."

"흥분 좀 가라앉히게. 자네는 동의하지 않겠지만, 제터는 전직 경찰청 경감이었고, 누구보다 버밍엄을 잘 알고 있어. 우리는 그에게 힘을 빌려야만 해. 총리실에서는 선거 전에 여론을 돌릴 수만 있다면, 어떠한 것이라도 할 생각이네. 시간이 부족하네. 그러니 자네가 좀 이해하게."

넬리 경감은 고개를 숙이며 끄덕였다.

"알겠습니다. 총리실과 총경님의 뜻이 그러하시다면 제가 따라야겠죠. 저만 늘 참고 있으면 되는 것 아니겠습니까?"

사무엘 총경은 그의 늘어진 어깨를 툭툭 두드리며, 귓가에 입을 가린 채 소곤댔다.

"위원회의 결정이 나올 때까지 자네가 참게. 어찌하겠나?"

그들의 끈적한 속삭임은 불행히도 나의 귓가를 스쳐 지나갔다.

총경은 이번엔 목소리에 힘을 실어 물었다.

"넬리 경감. 어떤가? 사건에 진전이 좀 있었나?"

"현재 피에르와 연루된 사건들을 조사 중입니다. 이번 사건도 갱단이 개입된 사건이라고 판단됩니다."

"만약 그런 문제라면 오히려 다행이라고 해야 하나? 제터, 자네는 오늘 조사를 받는 용의자가 하이드와 연관 있다고 보는가?"

"그럴 가능성도 충분하다고 봅니다."

그러자 넬리가 코웃음을 쳤다.

"아직도 미련을 못 버렸군."

그때, 경찰들이 용의자를 데리고 들어왔다. 넬리 경감은 용의자를 빤히 들여다보았다.

"총경님. 이 사람은 제가 먼저 조사 해 보겠습니다."

"그렇게 하게."

"자네 이름이 탐인가?"

넬리는 앞에 놓인 수첩을 빠르게 넘기며 물었다.

"네, 그렇습니다."

"자네를 왜 불렀는지 알고 있나?"

"아니요. 제가 왜 수사를 받아야 하는지 모르겠어요."

넬리 경감은 콧등을 찡그렸다. 그는 평소와 다르게 점잖은 태도를 유지했다.

"알겠네. 피에르와는 어떤 관계였나?"

"법원 기록을 보면 아시잖아요? 그놈에게 어떠한 피해를 보았는지 말이에요. 그런 사실이 제가 용의자가 된 게 정당한 이유인지 되묻고 싶네요."

"그래, 그런 사실로 자네를 부르려고 한 건 아니야. 단순하게 생각하면, 자네가 피에르에게 앙갚음하려 했다고 생각할 수 있겠지. 그렇지?"

"앙갚음이요? 맞아요. 그놈은 꿈에서라도 죽이고 싶었어요. 하지만 현실에서는 그러면 안 되잖아요."

"물론이지. 사건이 발생한 날은 3월 16일 월요일이야. 자네

68

는 그날 어디에 있었나?"

넬리 경감은 몸을 비틀며 물었다.

"출근했겠죠."

그는 어둠이 깔린 조명 아래서 검지를 딱딱거렸다.

"코터리지에 있는 그 공장 말이지?"

"네."

"우리가 조사한 바에 따르면, 자네는 그날, 오후 근무만 했다
는 기록이 남아 있더군. 그날 오전에는 무엇을 하고 있었는지
말해 주겠나?"

탐은 의자 등받이에 등을 기대더니 숨을 크게 내쉬었다.

"흠, 기억해 보죠. 전날 술을 마시고 새벽 늦게 잠이 들었어
요. 며칠 전 신문 기사에서 그놈이 출소한다는 소식을 봤어요.
또다시 악몽이 시작되는 게 아닌가 하는 불안한 나날을 보내고
있었어요. 도수가 높은 술을 마시고 나니, 조금이나마 잠을 잘
수 있었어요."

"그러니까, 새벽까지 술을 마시다 출근을 늦게 했다는 건가?"

"네, 다른 기억은 없어요. 일어나보니 오전 11시쯤 된 것 같
았어요. 그래서 부랴부랴 출근했고요."

"그래. 혹시 자네의 그 입장을 증명해 줄 사람은 있나?"

"불행히도 없네요."

"그래. 알겠네. 솔직히 자네의 모습을 보니, 피에르에게 맞아
죽지 않은 것만 해도 다행이라는 생각이 드는군. 더군다나 자
네의 얼굴과 몸에는 화상 말고 다른 상처는 전혀 보이지 않아.

자네와 피에르가 격렬한 주먹 다툼 했을 거라는 예상 또한 빗나갔네. 나는 이만 조사를 마치지."

넬리는 슬그머니 자리에서 일어나 목을 축이려는 듯 한편에 놓인 탁자로 가더니 주전자를 들어 물컵에 물을 따랐다. 사무엘 총경은 팔짱을 낀 채 고개를 돌렸다.

"제터, 자네 차례가 온 것 같군."

탐은 나와 시선을 마주치려 하지 않았다.

"제터라고 하네. 바로 본론으로 들어가지. 평소에 집에서 공장까지는 어떻게 출근하지?"

"뭐, 다른 사람들처럼 대형 마차를 타고 갑니다."

"그런데, 자네가 출근하고 있어야 할 시간에 교도소 근처에서 자네를 보았다는 사람이 있었네."

"네?"

손짓으로 밖에서 기다리던 그를 데려오게 했다.

"당신이 이 사람을 보았다는데 사실인가요?"

들어서서 두 손을 배꼽 근처에 모으고 서 있던 남자는 고개를 끄덕이며 탐을 가리켰다.

"네! 이 사람이었어요. 교도소에서 조금 떨어진 시내 사거리 근처에서 봤어요."

"그럼, 당신은 그날 사건을 직접 목격했었나요?"

"아뇨. 그런 건 아니었어요. 하지만, 화상에 덴 저 자국은 똑똑히 기억해요. 잠시 멈춰 선 마차들 사이로 저 사람이 보였는데, 마부 자리에 채찍을 들고 앉아 있었어요. 빈 마차이길래 타려는 표시로 손을 흔들며 외쳤는데, 저를 흘깃 보더니 그냥 지나쳤어요. 뭔지 모르지만, 몹시 흥분돼 보였고요. 눈빛은 날카로웠어요. 그런 괴이한 얼굴은 처음이었어요. 그러니까 제가 기억하겠지요."

탐은 팔짱을 낀 채로 앉아 말을 꺼냈다.

"글쎄요. 저를 본 게 틀림없나요? 화상을 입은 사람들은 많아요. 저 말고도요. 그리고 저는 그리 괴이한 얼굴이 아니에요."

"대자보에 그려진 당신의 화상자국을 보자마자 알아챘다니까요."

목격자가 말했다.

"대자보요?"

"이건 내가 설명할 필요가 있군. 탐, 자네의 얼굴을 그린 대자보를 교도소 근처에 붙여놨다네. 혹여 사건이 발생한 날 자네를 보았던 사람이 있다면, 증언해 달라고 써 놓았지."

"왜요? 제가 그랬을까 봐요?"

"조사해 보면 알지 않겠는가? 증언해 주신 분은 이제 돌아가 보셔도 좋습니다. 말씀해 주셔서 감사드립니다."

"예. 그럼"

목격자가 나가고 나서 탁자 위에 지도를 평평하게 펼쳐 놓았다. 그리고 체스 말을 하나 들어 탐이 일하는 코터리지 위치 위에 올려놓았다.

"자네의 집은 어디지?"

탐에게 물었다.

"올턴이요."

올턴 위에 또 다른 체스 말 하나를 올렸다.

체스가 올려진 지역은 제니퍼가 미리 지도에 표시해 두었던 곳이었다.

"올턴이라면 자네가 일하는 코터리지까지 대형 마차로는 1시간 남짓 걸리지."

"맞아요."

"피에르가 죽었던 시간은 오전 11시 30분에서 12시 사이지. 그런데 자네가 출근했던 시각은 오후 1시였어. 그런데 사건이 발생한 교도소에서 자네의 직장이 있는 코터리지까지는 사람들을 많이 실어 나르는 대형 마차로는 족히 2시간은 넘게 걸리는 거리지. 범행을 저지르고 그렇게 빨리 갈 수 없는 시간이었겠군."

"그러니까요. 제가 범인이었다면 무슨 수로 2시간이 넘는 거리를 1시간 정도에 갈 수 있겠냐고요."

넬리 경감이 불쑥 껴들었다.

"이봐. 제터. 지금 자네가 무슨 말을 하는 건지 알기나 하는 건가? 이자에게 죄가 없다는 걸 자네가 증명하는 꼴이야."

그러자 사무엘 총경은 손짓으로 그를 진정시켰다.

나는 개의치 않고 계속 이어갔다.

"탐. 자네는 사건을 은밀하게 진행하려고 무척 애썼더군."

"무슨 말이죠?"

"다른 사람들의 눈에 띄지 않기 위해 사촌 앤드루의 마차 택시를 훔쳤어."

"제가 그 마차 택시를 훔쳤다고요?"

"좀 이야기가 길어지네만. 자네가 일하는 공장에서 동료의 증언을 들을 수 있었네. 그날 평소와 다르게 자네는 본 적 없는 마차 택시를 직접 몰고 왔다고 하더군. 또 자네에게 그 말의 출처를 물어보니, 사촌 동생에게 택시를 잠시 빌렸다고 말했다면서?"

"그래서요? 급하면 빌려서 탈 수도 있겠죠. 훔친 건 아니에요. 단지 말을 하지 못했던 것뿐이고요. 나중에 돈을 주려고 했어요."

"도저히 갈 수 없는 시간 내로 목적지에 도착하려면, 또, 남들의 눈을 피하려면 뭔가가 필요했겠지. 기동력이 좋은 무언가 말이야."

"무슨 얘기에요? 그날 사촌의 마차 택시를 가지고 공장을 간 게 범인이라는 증거가 되나요?"

"흠, 자네의 사촌은 내게 울분을 토하더군. 자네가 마차 택시 한 대를 망가트려 놓았다고 하면서 말이지. 자신은 빌려준 적도 없다고 하더군. 하지만, 그날 아침 자네는 사촌 앤드루에게 말을 가져간다는 종이쪽지만 남겨 놓고 사라졌지. 물론 자네는 그날 저녁에 가져간 비용이라며 돈을 건네고, 훔친 일을 없던 걸로 해달라고 부탁하지 않았나?"

"그…… 그랬어요. 미리 사촌에게 말을 하지 못했던 건 인정해요."

"말을 모는 것도 서툴면서 직접 말을 몰고 가려고 한 건 무슨 이유 때문이었을까?"

"뭐라고요?"

"이걸 보게." 작은 상자 안에 담긴 옷가지를 끄집어냈다.

그는 순간 얼굴빛이 하얗게 질려버렸다. 그에게 찢어진 옷가지를 들어 보였다.

"이걸 어디서 발견했는지 당신은 잘 알겠지. 탐."

"……."

"이건 자네가 기계실에서 들고나온 옷가지야. 평상시에는 작업복을 입고 출근한다고 들었네만. 자네의 이름이 새겨진 옷이 이 정도로 찢어졌다면, 무슨 급박한 일이 있었지 않았나 싶군. 그리고 사건 현장에서도 자네의 찢긴 옷 일부가 발견되었어. 이래도 자네의 범행이 아니라고 잡아뗄 건가?"

탐은 머리를 탁자 위로 떨구며 눈을 감았다.

"……."

작은 천 조각을 증거 상자에서 꺼냈다.

"자 보게. 교도소 주변을 조사하다 발견하게 되었다네. 이 단서로 주변을 샅샅이 찾아보았지. 분명 이 천 조각은 우리가 입는 옷의 일반적인 재질이 아니었거든. 그래서 직물 제작 업체와 의류 제작 업체에 수소문한 끝에 그 재질이 코터리지 공장에 납품되는 특수 방염복의 재질과 일치한다는 사실을 알게 되었네. 자네 또한 그 방염복을 입고 쇳물을 녹이는 일을 하고

74

있지 않았던가?"

"……."

"자네는 공장에 도착해서, 아무렇지 않은 듯 다른 사람의 눈을 피해 다른 작업복으로 갈아입고, 휴게실 바로 옆 기계실 창고에다가 사건 현장에 입고 갔던 옷가지를 숨겨두었어. 바로 처리 못 한 이유는 모르겠지만, 사건 다음 날 경찰이 자네를 의심한다는 사실을 알게 되자, 사람들이 뜸해지는 시간을 기다렸다가 옷을 불태워 버리려고 하지 않았는가?"

탐은 고개를 천천히 들었다.

"네, 맞아요. 하지만, 저도 어떻게 된 건지 모르겠어요. 거짓말 한 건 죄송해요."

탐은 굳은 표정으로 고개를 떨구었다.

"그럼 내게 말을 해주게. 그날 있었던 일들을 말이야."

그의 심상치 않은 반응에 난 소리를 낮춰 물었다.

"사건이 발생하기 며칠 전 그놈이 교도소에서 나온다는 사실을 알게 됐어요. 그날부터 잠을 설치고 밤새 끙끙댔어요. 또다시 그놈이 내 앞에 나타날까 봐 두려웠거든요. 새벽까지 술을 마시고 잠을 청했어요. 그리고 사건 당일 새벽에 어디서 무모한 용기가 생겼는지 모르겠지만, 일어나자마자 무작정 근처에 사는 사촌 동생의 집으로 찾아갔어요. 그리고, 평소에 봐 두었던 마차 택시를 훔쳤어요. 말은 절 자주 봐서인지 시끄럽게 굴지 않아서, 쉽게 데려갈 수 있었어요. 마차에 나무 몽둥이를 싣고 교도소를 찾아갔어요. 놈이 나타나길 기다리며 골목에서 기다렸죠. 그놈이 교도소 문을 통해 나타나는 모습을 보았어요. 놈의 풍채는 어마어마해서 정면으로는 상대가 되지도 않았어요. 그래서 숨어 있다가 들고 있던 나무 몽둥이로 그놈을 혼 내주려고 했어요. 그놈이 지나가는 순간 몽둥이를 들고 쫓아 가는데, 눈치를 챈 그놈이 뒤돌아섰어요. 그러더니 발로 제 팔목을 쳐서 몽둥이는 저 멀리 떨어지고, 순식간에 저는 무방비 상태에 놓였어요. 하지만, 그게 끝이라고요. 어느 순간 그놈은 내 앞에 쓰러져 있었어요. 몽둥이는 그대로 놓여 있었는데, 그가 피를 흘리며 땅바닥에 누워 있었고, 사람들이 저 멀리서 오는 게 보였어요. 제가 그런 일을 저질렀다는 게 도저히 믿기지 않았어요. 정신은 몽롱하고 몸을 제대로 가눌 수 없는 상태였지만, 간신히 마차를 몰고 공장에 도착할 수 있었어요."

넬리 경감이 옆에서 거들었다.

"네가 범인이었군! 드디어 괴물에 대한 의문들이 슬슬 풀리는구면. 술을 처먹고 그 정신으로 사람을 때려죽이니. 기억이 나지 않을 수밖에. 아니. 기억나지 않는다고 말해야 하겠지."

탐은 두 손으로 그의 얼굴을 감싼 채 믿을 수 없다는 듯 연신 한숨을 내쉬었다.

"진짜. 제가 한 일일까요? 기억이 나지 않아요. 공장에 도착하고 나서야 찢어진 옷을 처리해야겠다는 생각이 들었다고요!"

그때 그 기억이 떠올랐는지 탐은 얼굴을 잡고 쓸어내렸다.

"탐, 차분히 마음을 가라앉히고 계속 얘기해 주겠나?"

"사람들의 웅성거리는 소리에 찢어진 작업복을 기계실 창고

76

에 우선 숨겨 놓고, 상황을 봐서 작업복을 수선해서 입으려고
했어요."

"그랬었군. 자네의 형편으로는 그 비싼 작업복을 함부로 버
릴 수 없었겠지. 그런데, 사건을 저지른 사람의 행동으로는 이
해가 되지 않는 부분이야. 범인들은 대게 물증이 될 만한 것들
을 바로 없애 버리지."

"그 옷이 왜 찢어졌는지 아직도 모르겠어요. 그래도 제가 사
건 현장에 있었으니까 뭔가 이유가 있을 거라고만 추측했죠.
다음 날 아침 일찍 공장에 도착했지만, 공장 출입 열쇠를 가진
사람이 늦게 출근하는 바람에 기계실로 들어갈 수 없었고, 점
심 무렵이나 퇴근 때 작업복을 꺼내 와야 했어요. 그런데, 사
건 소식이 그렇게 급하게 퍼질 줄 예상하지 못했어요. 경찰청
에서 나온 사람들이 오전부터 공장을 방문해 이것저것 묻기 시
작하더라고요. 이제는 찢어진 작업복을 공장 뒤편 소각장에 버
리는 길밖에 없다고 생각했어요."

"간발의 차이였군."

"그런데, 다른 경찰들은 작업복을 찾지 못하고 떠났는데 당
신은 어떻게 찾아냈죠?"

"자네는 내가 그 공장에 숨어 있다는 사실을 알지 못했겠지.
난 사건 다음 날 무렵 그 천에 관한 결과를 전해 들을 수 있었
네. 여러 정황상 자네가 제일 유력했지. 난 자네의 동선을 살
피며 멀리서 지켜보고 있었어. 그런데, 경찰들이 물러간 어두
컴컴한 퇴근 시간 무렵, 자네가 일하던 건물에서 나오더니 바

로 옆 기계실로 향하더군. 그러더니 찢어진 옷가지를 하나 들고나왔지. 난 바로 자네를 뒤쫓아 갔네. 자네는 그 옷가지를 쓰레기 소각장에 던져 넣고, 주변을 두리번거리며 살피더니 이내 작업장으로 향했어. 난 얼른 소각장으로 달려갔네. 불구덩이가 옷가지를 삼키기 전에 가까스로 건져 냈지. 흠- 자네를 마지막까지 기다린 건 어쩌면 천운이었는지 몰라."

"아, 그랬군요. 증거들을 없애려 한 건 제 잘못이에요. 하지만, 새벽까지 마신 술 때문에 제가 사람을 죽였다는 건 아직도 믿기지 않아요. 두렵기도 하고, 화가 나서 흥분된 상태였지만 말이에요. 저도 진실을 알고 싶다고요."

탐의 호소에도 불구하고, 그의 기억까지 모두 끄집어낼 수 없는 일이었다.

"이보게. 탐. 자네가 피에르에게 받았던 이루 말할 수 없는 고통은 누구보다 잘 아네. 하지만, 아무리 그렇다 하더라도 자네가 벌인 행동의 결과는 용납될 수 없는 일이네."

"아!"

탐은 고개를 숙였다.

조사가 끝나기가 무섭게 넬리 경감은 대기하던 경찰들을 불러 탐을 끌고 나가도록 했다. 탐의 뒷모습에서 한 가지 의문이 떠나지 않았다. 그의 기억이 잠시 사라졌다는 건 사실일까? 만약 사실이라면 사라진 기억에는 무엇이 담겨 있을까?

잠시 뒤 넬리 경감이 몇 걸음 옆으로 다가왔다.

"당신. 왜 처음부터 그놈의 옷가지를 발견했다는 걸 얘기하지 않았어? 내가 우습게라도 되었으면 했어?”

넬리 경감은 코를 벌렁거리며 숨을 내쉬었다.

“그럴 의도는 전혀 없었네. 이제 이 천과 옷은 증거로 경찰에 넘길 테니 너무 걱정은 하지 말게.”

“뭐라고?”

넬리 경감은 다잡지 못한 거친 표정으로 내게 다가왔다. 그러자 사무엘 총경은 그에게 손을 내밀어 막아섰다.

“넬리 경감. 너무 그러지 말게. 어쨌든 자네 수사팀이 놓친 증거를 제터가 확보한 건 인정해야지.”

넬리는 사무엘 총경의 말에도 연신 고개를 가로저었다. 사무엘 총경은 내 어깨를 두드렸다.

“수고했네. 제터. 자네가 이번 일을 해결했어.”

그러자, 넬리 경감은 조사실의 문을 벌컥 열고는 나가버렸다.

“저 사람. 성질하고는 쯧쯧, 제터, 다음에 봅시다.”

“예. 총경님. 다음에 뵙겠습니다.”

11. 연회장에서 들려온 소식

싸늘해진 밤거리를 굵은 빗줄기가 덮었다. 어두운 골목길을 지나자 은은하게 빛나는 가로등들이 줄지어 사방을 밝혔다. 마차에서 내려 걷자 숨을 쉴 때마다 내뿜어져 나오는 입김이 시야를 가렸다. 도착한 건물에는 제복을 차려입고 모자를 눌러쓴 남자 여러 명이 문 앞을 단단히 지키고 있었다.

"제터라고 하오. 파티에 초대받고 왔소."

한 남자에게 초대장을 보여주자, 그는 슬쩍 내 얼굴을 확인하더니, 이내 손을 올려 경례 자세를 취하고는 건물 안으로 인도했다.

화려한 파티는 이미 진행 중이었다. 넓은 홀은 정부 고위 인사들과 경찰 간부들을 비롯한 많은 사람들로 이미 메워져 있었다. 하얀 불빛의 샹들리에는 천장을 환하게 수 놓았다. 빛깔이 영롱한 포도주와 화려한 장식을 한 케이크 그리고 붉고 노란 꽃들로 물든 꽃병은 중앙 테이블을 차지하였고, 시중을 드는 사람들은 손에 음료와 각종 과일을 가득 들고서 사람들 사이를 바삐 누볐다. 매우 익숙한 목소리에 고개를 돌리니, 어깨가 살짝 드러나 보이는 하얀색 드레스를 차려입은 제니퍼가 빙긋 웃는 낯으로 손을 번쩍 들며 외치고 있었다.

"탐정님. 여기예요!"

제니퍼는 작은 탁자에 홀로 앉아 있었다. 샹들리에의 빛을 받은 루비 목걸이는 그녀의 목 부분을 빨갛게 물들였다.

"제니퍼, 먼저 와 있었군. 연회장에서 가장 아름다워 보여. 하얀 드레스에 루비 목걸이가 제니퍼를 더욱 돋보이게 해주는군."

"제터 탐정님. 감사드려요. 지금까지 제 앞으로 지나가는 사람 중에 그런 말을 해주는 사람은 아무도 없었거든요. 그리고, 이 목걸이는 제 남자 친구가 선물로 준 거예요." 제니퍼는 고민이 섞인 얼굴로 목걸이를 만지작거렸다.

"뭐? 남자 친구라고? 제니퍼에게 그런 남자 친구가 있었다니, 전혀 눈치를 채지 못했어."

시중을 드는 이들이 식사를 위한 음식들을 가져와서 차례로 앞에 내놓았다.

"후. 이제 말씀드릴 때가 되었네요. 앤더슨이라고 기억하세요? 제 동료 말이에요."

"아! 내 기억이 맞는다면, 넬리 경감과 함께 일하는 그 젊은이 말이지?"

"네, 사실 그 사람과 사귀는 걸 다른 사람들에게 얘기하기가 좀 꺼려지더라고요. 사내 연애이기도 하고, 늘 보던 사람들이라 창피하기도 하고요. 그래도 탐정님께는 먼저 말씀드려야겠다고 생각했어요"

"여태껏 제니퍼를 잘 알고 있다고 생각해 왔었는데, 그게 아니었군."

"그리고, 저…… 바로 얼마 전에 프러포즈도 받았어요. 약혼식도 바로 올리자고 하더라고요."

순간, 말문이 턱 막혔다.

"뭐? 그건 더 놀라운 소식이군. 그런데, 좋은 소식을 놔두고 근심이 가득한 얼굴이야?"

"들켜버렸네요. 고민이 좀 있어요."

"무슨 고민이지? 들어봐도 괜찮을까?"

"제 고민의 시작은 앤더슨과의 만남부터예요. 처음엔 그 사람에게 아무 감정도 없었거든요. 나이가 많은데도 불구하고, 이제 막 신임 경찰로 들어온 걸 보면서 경찰에 대한 열정이 대단한 사람이라고만 생각했어요. 그런데, 그 사람을 알게 될수록 그 사람한테서 과거의 제가 떠오르더라고요. 제 유년 시절은 아버지의 사업 실패와 부모님의 이혼으로 우울하고 힘든 시기였거든요. 물론 지금은 이렇게 씩씩하지만요. 앤더슨은 제 유년 시절처럼 항상 침울해하고 움츠려 있었어요. 뭔가 그를 옥죄고 있는 듯했는데 그게 뭔지는 모르겠어요. 아마도 그가 과거에 받았던 상처들이 아물지 않은 상태로 그의 마음속 깊이 남아있던 게 아닐까요? 그래서, 전 그에게 조금이나마 도움이 되고 싶었어요."

"그래서 앤더슨과 가깝게 지내게 되었군."

"네, 앤더슨이 일이든 사람이든 그런 문제로 힘들어할 때, 도와주기도 하고 또, 말동무도 되어주었죠. 그런데, 탐정님과 사건 조사를 할 때쯤, 갑자기 앤더슨이 제게 결혼에 대해 말을 꺼냈어요. 대답을 섣불리 못 하겠더라고요. 너무 혼란스러웠거든요. 앤더슨과 저는 사람들이 흔히 말하는 연인 사이가 아니었어요. 제 마음이 앤더슨에 대한 사랑인지, 연민인지도 헷갈리더라고요. 프러포즈를 받고 난 뒤에 기분이 변덕스러운 날씨처럼 바뀌었어요. 모든 게 낯설고 어려워요."

"내 생각은 그렇네. 결혼까지 염두에 뒀다면 섣부른 결정보다 서로에 대해 알아가는 시간이 좀 더 필요하지 않을까?"

"그래야겠죠? 앤더슨과 진지하게 말해봐야겠어요. 고마워요. 어? 저기 총경님이시네요."

나비넥타이를 맨 사무엘 총경이 단상에 서서 웅성거리는 청중들을 바라보았다, 어색한 미소를 띠다 장내가 잠잠해지는 틈을 타 목청을 높였다.

"참석해 주신 많은 귀빈 여러분께 우선 감사의 말씀을 드립니다. 오늘 이 자리를 빌려 많은 국민 여러분께서 우려하셨던 사건에 대해 말씀드리고자 합니다. 그 사건은 바로 언론을 통해 잘 알려진 하이드에 관한 것입니다. 잔인했던 하이드가 다시 나타나 여기저기서 범죄를 저지른다는 괴소문이 퍼진 사실을 기억하실 겁니다. 저희 버밍엄 경찰청은 치안이 더 불안해지는 사태를 막기 위해 곧바로 정부에 지원을 요청하고, 많은 수사 인력을 투입해 결국 범인들을 잡는 데 성공하였습니다. 잡힌 범인들은 하이드가 아니라, 버밍엄의 갱스터들과 평범한 공장 인부였습니다. 그동안 난무했던 갖은 억측들은 사실이 아님이 밝혀졌습니다. 이제 불안한 마음은 거두시고, 평범한 일상에 전념하셔도 된다는 말씀을 드립니다. 저희는 반드시 사회적 혼란을 일으키려 한 자를 찾아내서, 그 대가를 치르도록 할 것입니다."

박수 소리에 총경은 숨을 크게 골랐다.

"너무 무거운 얘기만 한 것 같군요. 자, 오늘은 축배를 드는 자리입니다. 마음껏 드시고 파티를 즐겨 주십시오! 감사합니다."

여기저기서 쏟아지는 박수에 총경은 손을 가볍게 들어 보이며 단상에서 내려왔다. 포도주를 연달아 들이켜 얼굴이 붉은 감처럼 변해버린 넬리 경감은 기립박수를 치며 총경을 맞이했다. 총경은 연단 앞에 놓인 커다란 원탁으로 가더니 모인 사람들에게 말했다.

"자, 다들 앉게. 여러분들 덕분에 사건이 모두 해결됐소. 다들 건배합시다!"

금빛으로 물든 샹들리에 조명이 투명한 포도주잔을 감싸고, 짙은 적색 포도주가 그 잔을 채우자, 모두가 일어나 요란하게 잔을 부딪쳤다. 총경과 넬리 경감은 포도주잔을 나란히 들고, 제니퍼와 내가 앉아 있던 테이블로 다가왔다.

"제터, 자네가 아니었다면 이런 자리도 없었을 거야. 안 그런가? 아, 그리고 말이야. 이제 사건도 해결되었으니, 슬슬 런던으로 돌아갈 준비를 해야 하지 않겠나? 노을이 지는 날 템즈강가에서 바라보는 타워브리지는 무척 아름답지."

어깨에 손을 얹은 총경은 이를 들어내며 환하게 웃었다. 넬리 경감도 덩달아 웃었다.

"총경님, 오늘 초대해 주신 것은 너무 감사드리지만, 이 자리가 사건 종결을 축하하는 자리가 되어서는 안 된다고 생각합니다. 아직 수사가 끝나지 않았고, 비슷한 사건이 언제 다시 발생할지 모를 일입니다. 저는 두 사건의 재판이 끝날 때까지 버밍엄에 남아 있겠습니다."

총경은 어깨에 걸쳤던 손을 슬며시 내려놓았다.

"그러니까, 자네의 말인즉슨, 아직 진범이 잡히지 않았으니 섣부른 결론을 내지 말라는 뜻인 것 같군. 그런데, 내가 보고받기로 두 사건 모두 하이드와는 직접적이든 간접적이든 관련이 없다는 게 최종 결론이었어. 안 그런가 넬리?"

넬리 경감이 쥐고 있던 포도주잔은 이내 쏟아질 듯 출렁거리더니 그대로 그의 코에 닿고 말았다.

"맞습니다. 총경님께 보고드린 대로 사건은 모두 해결되었습니다. 제터가 무슨 말을 하는지 모르겠군요. 아무런 근거도 없는 추측일 뿐입니다. 신경 쓰지 마십시오."

"총경님. 최종 판단을 내리기는 이르지만, 두 사건에서 발견된 이상스러운 공통점은 분명 존재합니다. 그것은 우리가 알지 못하는 무언가에 의한 상황이 있었다는 것입니다. 믿을 수 없는 괴력에 의한 정황들이 그걸 뒷받침하고요. 돌이켜 보자면, 첫 번째 사건은 갱단 간의 알력으로 인한 다툼으로 결론지어졌습니다. 하지만, 사건 당사자가 목격했다던 존재는 아직 아무런 실체가 드러나지 않았습니다. 두 번째 사건은 탐의 보복 범행으로 밝혀졌지만, 그가 스스로 살인을 강하게 부정하고 있는데다 단순한 살인 사건으로 치부하기에는 의문점이 남아 있습니다. 두 사건의 연관성과 구체적인 내용이 드러날 때까지 조사가 더 필요하다고 생각됩니다."

넬리 경감은 언성을 높이며 말을 받아쳤다.

"주정뱅이 노인의 말을 신뢰하는 것도 부족해서, 갱스터와 복수에 눈이 먼 놈의 말을 믿는 것 자체가 있을 수 없는 일이네. 제터, 자네가 그런다고 해서 죽었던 하이드가 돌아오는 게 아니야. 무슨 심보인지 몰라도 날 괴롭힐 작정이면 여기서 그만두게."

사무엘 총경은 한쪽 손으로 턱 주위를 매만졌다.

"제터, 자네의 말도 일리가 있지만, 처음 사건을 제외한다면 하이드를 보았다거나 괴물을 보았다는 사람이 없었어. 우리가 처음부터 잘못된 신호를 받아들인 건 아니었을까? 애초에 하이드는 이 세상에 없는 존재일지도 몰라. 넬리의 말대로 말이네."

"그럼. 저는 계약이 끝난 것으로 알겠습니다. 더 이상 여기에 머무를 이유가 없겠지요."

손에 쥔 포도주잔을 내려놓고 일어서려고 하자, 총경이 손으로 제지하였다.

"잠깐만. 왜 이리 성급한가? 생각할 여유를 주게."

총경은 턱을 손으로 괸 채 시선을 바닥에 두고 한참을 앉아 있었다. 그러다가 넬리 경감을 어두운 연회장의 구석으로 데려갔다.

**

둘은 머리를 맞대고 심각한 표정으로 속삭였다.

"넬리, 자네는 제터와 상의도 없이 사건 종결 보고서를 올린 건가?"

"총경님. 아 …… 그게, 그렇게 됐습니다. 뭐, 제터의 의견까지 들어볼 필요가 있겠습니까? 제터는 어떠한 결론도 내리지 못한 상황이라, 저희가 먼저 태도를 결정한 것뿐입니다."

"만약 버밍엄에 하이드가 다시 나타나고, 그로 인해서 민심이 흉흉해진다면 말이야."

"터무니없는 소문일 뿐입니다. 만약 진짜든 가짜든 하이드가 나타난다면 잡으면 그만입니다. 미리 겁먹을 이유는 없다고 봅니다."

"넬리, 이건 그리 쉬운 문제가 아니네. 해결할 시간이 많지 않아. 만약 그 시간 안에 해결이 되지 않으면 총리실은 책임자 추궁에 나설 거네. 사자에게 내줄 희생양을 찾겠지. 그게 자네가 되지 말라는 법이라도 있던가?"

"제가 희생양이 될 수 있다는 말씀입니까? 그럼 저는 어떻게 하면 되겠습니까? 총경님."

"어떡하긴. 제터에게 하이드에 대한 수사 전권을 주면 되지 않겠는가? 제터가 사건을 해결한다면 우리야 별 손해랄 것까지

87

야 없겠지. 자네야 속이 쓰리겠지만. 하지만, 반대의 상황이 펼쳐진다면 하이드 수사에 대한 책임은 온전히 제터가 짊어지게 될 거야. 그러니, 이제부터 자네는 하이드 사건에서 한 발짝 물러나 있게. 대신 제터에게 모든 걸 맡겨 놓자는 거야."

넬리 경감은 고개를 끄덕였다.

"알겠습니다. 총경님께서 제터를 데려오신 이유가 이것이었군요. 저는 그런 깊은 뜻도 모르고, 총경님을 속으로 원망했었습니다. 한때, 제터를 두둔하며 살갑게 대하시던 모습을 보고 울화가 치밀어 올랐었습니다. 왜 저한테 진작 말씀해 주시지 않으셨습니까? 미리 알려 주셨으면, 제가 이런 상황을 헷갈리지 않았을 텐데요."

"뭐라고? 자네 취했어? 내가 자네에게 보고 따위를 해야 할 이유가 있나? 그런 하소연은 자네가 존경해 마지않는 마이클 총경에게나 말하게."

"기분 나쁘셨다면 죄송합니다. 총경님."

"이만 자리로 돌아가지."

"……."

**

돌아온 총경은 손으로 자기 얼굴을 매만지더니, 테이블에 놓인 포도주 한잔을 그대로 모두 들이켰다.

"제터, 자네는 하이드에 대한 조사를 계속하게. 다만, 계약은 계약이니만큼 선거가 다가오기 전까지 수사를 마쳐야 해. 그리고 앞으로 하이드와 관련된 사건을 모두 자네가 맡도록 하게. 넬리 경감은 다른 수사로 아주 바쁠 듯하네."

넬리 경감은 굳어진 볼살에 억지스러운 미소를 남겼다.

"알겠습니다. 맡겨 주셔서 감사합니다."

"난 자네가 해낼 거로 믿네. 이제 파티를 즐기러 가세."

총경과 넬리가 함께 자리에서 멀어지자, 제니퍼가 기다렸다는 듯이 중얼거렸다.

"어머, 사람을 들었다 놨다 하네요. 뭔가 기분이 좋지 않아요. 해결되지 않은 사건을 저희한테 떠넘기는 꼴이잖아요?"

"그래, 알아. 수고로움과 책임은 나누려 하지 않고, 달콤한 과실에만 손을 뻗으려는 사람들이 있지. 그들이 원하는 게 그거니까. 우리는 사건에만 집중하자고."

양어깨가 축 늘어진 제니퍼는 짧은 한숨 섞인 목소리로 대답했다.

"어휴. 알겠습니다. 그래야죠."

12. 악마의 침입

**

  얼마 지나지 않아 사건이 일어났다. 늦은 밤, 존 엘리엇 판사가 머무는 관사에서 벌어졌다. 박쥐 날개와 같은 검은 망토의 모습을 한 괴한이 사람 두 키가 넘는 담벼락을 넘어 엘리엇이 머무는 거실에 몰래 들어가려다 경비원에게 발각되었다. 경비원은 그가 가지고 있는 장총을 들고 그 괴한의 어딘가를 향해 쏘았다. 총소리에 놀란 괴한은 경비원을 향해 뒤돌아보았다. 새카만 몸뚱이에 사악한 악마의 흰자위가 그를 노려 보고 있었다. 괴한은 사람의 모습이 아니었다. 박쥐와 같은 모습이었는데, 펼쳐진 날개를 오므려 몸을 보호했다. 경비원은 깜짝 놀라며 가지고 있던 장총으로 그 괴한을 조준해 재차 쏘아댔다. 탕-탕. 2발을 연속 발사했을 무렵 괴한의 망토 부분이 맞았는지 맞지 않았는지 알 수는 없었지만, 날개를 퍼덕거리더니 급하게 담장을 넘어 사라져 버렸다.

  엘리엇 판사가 수많은 사건을 판결하는 일을 하고 있음은 누구나 알고 있는 사실이었다. 누군가 그가 한 판결에 앙심을 품고 범행을 저질렀으리라는 게 대체적인 시각이었다. 넬리 경감은 분명 경비원의 총에 맞은 누군가가 있었을 것으로 판단하고 최근 판결에 연루된 모든 사람을 하나둘 불러들였다. 하지만, 뚜렷한 단서도 없는 상태에서 제대로 된 수사가 될 리 만무하였다.

"앤더슨! 조사는 제대로 하는 거야? 범인의 윤곽도 제대로 못 잡고 있잖아. 대체 근무시간에 뭘 하고 있길래 아무런 단서조차 찾지 못했나! 네가 인간이야? 밥만 처먹고 다니는 아무짝에도 쓸모없는 놈 같으니라고. 도대체 네가 하는 일이 뭐냐고!"

말이 끝난 후에도 시뻘건 얼굴로 욕을 계속 내뱉었다. 앤더슨은 멍하게 서 있었다. 그의 왼쪽 뺨은 불에 달궈진 것처럼 큼지막한 손자국이 선명했고, 얼굴은 퉁퉁 부어올랐다.

"제터라는 놈은 신났겠군. 이것도 하이드 짓이라고 떠들겠지. 잡지도 못하는 주제에 뭐가 그리 당당해. 넌 당장 나가서 조사나 해!"

앤더슨은 문을 열고 나왔다. 그의 얼굴을 본 사람들은 그를 위로해 주기보다 눈치를 보며 피하기에 바빴다. 앤더슨은 경찰모자를 눌러쓰고 고개를 숙인 채 사무실을 빠져나갔다. 사람들이 수군거렸다.

"경감님은 왜 앤더슨에게 저러지? 마치 노예처럼 부리잖아요."

"글쎄요, 경감의 불같은 성격에 앤더슨 말고도 당한 사람이 한두 사람이 아니라고 하더라고요. 자기 마음에 들지 않으면 어떡해서라도 경찰을 스스로 그만두게 한대요. 불쌍하지만 어쩌겠어요. 다들 알면서 쉬쉬하잖아요."

"사실, 나만 아니면 되니까 그런 거 아니겠어요. 아, 그리고 제가 소문 하나를 들었어요. 어떤 고위직 모임이 있는데, 거기서 버밍엄 경찰청의 인사가 대부분 결정된다고 하더라고요. 넬리 경감은 승진한 지 얼마 되지도 않았는데, 조만간 경위로 승진할 거라는 소문이 있더라고요."

"그 고위직 모임에 관한 소문은 전설처럼 전해지고 있죠. 다들 그 모임을 궁금해하더라고요. 남아있으려면 넬리 경감 눈밖에 나지 않게 조심하는 수밖에 없겠어요."

"그러게요."

**

넬리 경감이 사무실을 찾아왔다. 뒤이어 제니퍼가 따라 들어왔다.

"제터, 이번엔 엘리엇 판사가 당했네."

"이미 들어 알고 있었어. 자네가 처리하면 될 사건 아니던가?"

"내 자네를 믿기로 했네. 이 사건을 하이드와 연관된 사건으로 분류했어. 하이드를 모방한 범죄라고 판단했네. 자네가 이 사건을 맡도록 하게. 뭐, 필요하다면 지금까지 수사한 자료는 제공해 줄 수도 있네."

"자네가 친애해 마지않는 판사님 아니신가? 그런 분의 사건을 내게 덜컥 맡기다니 영광이라고 말해야 하나? 그건 그렇고, 사건 단서를 못 찾았다던데 그게 사실인가?"

"이제 이 사건은 자네의 몫이야. 단서야 뭐 수사하는 사람이 찾아야 하지 않겠나?"

"사실 바라지도 않았네. 우리가 찾도록 하지."

"마음대로 하게."

"그런데 말이야. 소문에 듣자 하니 자네가 앤더슨에게 손찌검했다고 하던데, 사실인가?"

앞에 앉아 있던 제니퍼는 충격을 받았는지 놀란 표정을 지으며 손으로 입을 감쌌다.

"뭐? 누가 그런 말 하던가? 내 앞에 데려와 보게. 그리고, 자네가 무슨 상관이야? 수사나 똑바로 해."

넬리는 틈을 주지 않고 제 말만 다 하더니 빠르게 등을 돌려 사무실 문을 박차고 나갔다.

제니퍼는 책상에 엎드리더니 숨죽여 울먹였다.

"앤더슨이 불쌍해요. 누구도 그를 도와주지 않아요."

"제니퍼, 넬리 경감과 앤더슨에 관한 일은 상급 기관에 조사를 요청해 놓겠네. 그러니 진정하고 마음 추스르게."

제니퍼는 흐르는 눈물을 손으로 훔치고서 딸꾹질하듯 울음을 참아가며 말했다.

"고맙습니다. 그리고, 말씀하셨던 병원을 찾았어요. 여기 주소요."

"수고했네. 제니퍼."

13. 새벽 부름

**

  드리웠던 구름은 걷히고 그윽하고도 영롱한 달빛이 그 자태를 드러냈다. 십여 명의 건장한 젊은 남자들이 술집으로 꽉 들어찬 골목길을 메웠다. 아직 앳된 얼굴을 벗지 못한 소년들부터 이제 막 스무 살을 넘긴 듯한 청년들이 대부분이었다. 물론 개중에는 나이가 든 남자도 있었다. 그들 중 몇몇 손에는 높은 도수의 술병이 들려 있었고, 동공이 풀린 채 시시덕거리거나 큰 소리로 알 수 없는 노래를 불러댔다. 그러다 젊고 아름다운 여자들에게 접근해 치근거렸다. 대부분 사람은 그들을 피해 먼 길로 돌아가려 했다. 그런데, 한 여자가 몸을 비틀대며 그들 앞에 나타났다.

  "네놈들이…… 이 구역에서 유명하다던 양아치니? 나한테도 치근대봐!"

  그러자 사냥감을 발견한 듯 남자들은 여자를 둘러싼 채 웃어댔다. 여자는 눈동자를 치켜들며 그들을 한 명씩 쳐다보았다. 그러다 한 남자가 여러 남자들을 제치고 여자 앞으로 섰다. 깔깔 웃어대던 주변 남자들은 순식간에 웃음을 멈췄다.

"취했나 보군. 여자가 시비를 거는 건 처음 보는 일이야. 하지만 여기까지야. 운이 좋은 날인 줄 알아. 좋은 말 할 때 눈앞에서 꺼져."

남자는 여자의 한쪽 어깨를 툭 밀쳤다. 여자는 한번 눈을 질끈 감더니 이를 악물며 말했다.

"네놈들은…… 참 편하게 살아. 부족하면 빼앗으면 그만이고, 듣지 않으면 죽이면 그만이니까. 쓰레기 같은 놈들. 왜? 날 치고 싶니?"

"가소로운 여자군. 한 마디만 더 하면 이제 봐주지 않을 거야."

남자는 투박한 두 손으로 힘껏 여자의 양쪽 어깨를 밀쳤다. 여자는 엉덩방아를 찧으며 땅바닥으로 쓰러졌다.

"네놈이 두목이구나. 날 어떻게 할 건데? 이 양아치 놈!"

여자는 소리를 꽥 지르며 남자의 얼굴로 침을 힘껏 뱉었다. 남자는 얼굴에 묻은 침을 훔쳐내더니 작정한 듯 쓰러진 여자의 머리채를 움켜잡고 손으로 목을 짓누르려 했다. 여자는 필사적으로 손을 막았지만 힘은 비교가 되지 않았다.

"살려주세요…… 도와주세요……."

여자는 마지막인 듯 소리를 질렀다. 하지만, 그곳을 지나치던 사람들은 얼굴을 돌리고 제 갈 길로 가버리고, 구경하던 상인들은 문을 닫고 들어가 버렸다. 그때 검은 그림자가 크게 드리웠다. 모여있던 남자들은 넋 놓고 그림자를 움직이는 괴물을 쳐다보았다. 괴물은 촛농이 녹아내리는 듯한 흉측한 얼굴을 하였는데, 몸뚱이는 크고도 단단한 근육질로 덮여 있었다.

"뭐야. 저건. 그 괴물? 설마 하이드?"

"저거 사람 맞아? 엄청나게 크네."

"두목. 어떡하지?"

무리 중 소년들로 보이는 일부는 겁먹은 표정으로 뒷걸음질 치며 두목의 눈치를 보았다. 두목은 그들을 향해 무언의 눈빛을 던졌다. 그러자 그들은 각기 손에 무기가 될 만한 것들을 하나씩 쥐었다. 어떤 소년은 주먹만 한 돌멩이를, 또 다른 이는 마시던 깨진 술병을, 또 다른 남자는 지니고 있었던 칼을 빼 들었다. 두목은 여자를 뒤쪽에서 끌어안고 괴물과 대치했다.

"좋아! 어디 해 봐!"

두목은 자신만만한 목소리로 소리쳤다.

괴물은 성큼성큼 큰 발소리를 내며 다가갔다. 그러자 두목은 여자를 붙잡고 뒷걸음질 쳤다. 그때 한 소년이 괴물 뒤로 조심스레 다가갔다. 그러더니 손에 든 칼로 괴물의 다리를 향해 휘둘렀다. 하지만 미동도 없었다. 괴물은 두목을 조준해 괴팍한 손을 내리쳤다.

쿵!

두목은 그대로 꼬꾸라졌다. 여자는 그 모습을 보고는 기겁하며 바닥에 움츠려 벌벌 떨었다. 칼을 들었던 소년은 다시 찌르려고 했지만, 그의 머리에는 나무껍질같이 메마른 손바닥이 이미 스쳐 지나간 뒤였다. 무기를 들었던 소년들은 깨진 술병, 돌멩이와 함께 바닥으로 나뒹굴었다. 두목을 잃은 무리들은 사방으로 흩어졌다. 괴물은 도망치는 이들을 쫓아가 붙잡더니 땅바닥이 꺼지도록 내팽개쳤다. 하나둘 괴성을 지르며 쓰러지기 시작해 모두가 쓰러질 때쯤 경찰이 도착했다.

**

"계십니까? 제터 탐정님!"

누군가 불 꺼진 사무실로 찾아와 문을 두드리며 단잠을 깨웠다. 덜 깬 상태에서 힘겹게 붙어있던 눈을 떴다. 목소리는 분명 당직 근무자였다.

"한밤중에 무슨 일이오?"

"잠을 깨워서 죄송합니다. 신고가 들어왔는데 제터 탐정님도 아셔야 할 것 같아서요. 함께 가보셔야 할 것 같습니다."

"지금 몇 시지?"

달빛에 물든 시계는 새벽으로 넘어가는 시각을 가리켰다.

전속력으로 달려온 사건 현장은 매우 많은 사람으로 어수선했다. 경찰 중 일부는 사방을 막으며 도주를 차단하려 애썼고, 일부는 총을 들고 명령이 떨어지길 기다렸다. 대치 중인 한편에서는 이미 몇몇 사람이 쓰러져 있었다.

"말해 두었던 커다란 그물을 펼칠 준비를 해 주시게."

"네! 탐정님."

여러 명의 경찰이 괴물을 크게 에워싼 채 조심스럽게 접근하고 있었다. 경찰들의 가쁜 숨소리가 크게 들릴 정도로 모두 긴장한 모습들이 역력했다. 그런데, 한 사내가 총을 들고 빠르게 걸어 나가더니, 여자를 향해 뒤돌아 있던 괴물에게 가까이 다가갔다.

"악!"

거리가 떠나갈 듯한 여자의 외마디 비명은 괴물이 뒤를 돌아보게끔 하였다. 경찰들은 바로 괴물을 향해 커다란 그물을 던졌다. 그것을 알아챈 괴물은 빠른 몸놀림으로 그물을 피하고서 술집 건물 벽을 타고 지붕 위에 올라섰다. 누군가를 노려보나 싶더니 이내 건물 뒤편 어둠 속으로 뛰어들었다.

순식간에 괴물을 놓친 사실을 확인한 경찰들은 허둥대며 괴물이 사라진 허공을 향해 수십 발의 총을 쏘아 댔지만, 아무런 소득도 올릴 수 없었다. 나와 경찰 몇 명이 함께 쫓아 갔지만, 이미 멀리 사라져 보이지 않았다.

"제길! 기회였는데. 누가 소리를 지른 거야!"

화가 치밀어 오른 어떤 사내가 소리쳤다. 쳐다보니 그 사내는 넬리 경감이었다. 넬리 경감은 손에 든 권총을 장전하더니 소리친 여자를 향해 겨누었다. 그사이 여자는 서서히 자리에서 일어나 똑바로 걸어왔다. 장전된 총의 가늠쇠는 여전히 여자를 따르고 있었다. 여자는 넬리 경감 앞에서 고개를 치켜올렸다.

"당신! 뭐 하는 거야! 다 잡을뻔한 그놈을 놓쳤잖아!"

넬리 경감이 소리를 질렀다.

어둠 속에서 얼굴을 드러낸 이는 줄리오 기자였다.

"제가 잘못했나요? 당신은 위험에서 날 구해준 그 괴물을 죽이려고 했어요. 아닌가요?"

"뭐? 그 괴물체가 영웅이라도 된 것처럼 말하는군."

"제게는 당연히 그럴 만한 도움을 줬어요."

"뭐! 당신은 범인의 도주를 도와줬어. 도주를 도운 범죄를 저지른 거라고!"

"지금 저 미상의 괴물은 범죄자가 아니에요. 그리고 난 당신의 총에 놀라 소리를 질렀을 뿐이고요. 더 이상 날 범죄자 취급하지 말아요. 당신에게 우호적이지 않은 기사를 보기 싫다면 말이죠."

줄리오는 눈을 부릅뜬 채 치마를 탁 털더니 거리낌 없이 경찰들 사이를 지나갔다.

잠시 후 넬리 경감이 성큼 다가왔다.

"제터, 자네 때문에 놈을 놓쳤어. 그물 따위로 놈을 잡겠다는 게 말이 된다고 생각해?"

"나 때문이라고? 자네가 불필요하게 혼자 다가간 것은 까맣게 잊었나 보군. 거기다 사격 솜씨는 십여 년이 지났는데도 어찌 나아지는 기미가 보이지 않는가?"

"뭐야!"

"난 자네가 하이드와 관련된 사건에서 완전히 손을 땐 줄 알았는데 그게 아니었어. 하이드가 잡힐 것 같으니, 욕심이 나던가? 이 새벽에 부리나케 달려온 걸 보니 말이야."

"무슨 소리야! 난 누군가 범죄를 저지르고 있다는 신고를 받고 왔을 뿐이네. 어쨌든 괴물체가 이렇게 도망쳐 버린 것은 모두 자네의 책임이야. 그러니 나와 엮으려 하지 말게."

넬리 경감의 말꼬리는 점점 옅어졌다.

"그렇게 책임을 회피하려거든 뒤로 물러나 있게."

"……."

14. 하이드는 사라진 게 아니다.

다음날, '하이드는 사라진 게 아니다.'라는 제목이 붙은 신문이 가판대 위를 점령하고 있었다. 기사 내용은 이랬다.

- 여성을 대상으로 위협을 가했던 청년들은 대부분 크게 다치고, 대장이라고 불렸던 청년은 처참하리만큼 끔찍한 몰골로 죽음을 맞이했다. 사건 현장에는 하이드로 추정되는 인물이 있었으며, 현재 경찰은 그를 뒤쫓고 있다. 하지만, 우리가 상상한 하이드 모습은 분명코 아니었다. 하이드는 약자를 보호하려 하고, 불의에 맞서 싸우는 그런 존재였다. 여러분은 이런 하이드 모습을 믿겠는가?

"탐정님 오셨어요?"

아침 사무실 공기는 매우 차가웠다. 제니퍼가 벽난로에 장작을 집어넣고 있었다. 벽난로로 다가가 그녀를 도와 장작을 넣었다. 차가웠던 손을 쬐며 제니퍼를 바라보았다. 그녀는 그답지 않게 매우 우울하고 멍한 눈빛이었다.

"제니퍼. 표정이 좋지 않군."

"네, 저…… 약혼은 하지 않기로 했어요. 그 사람한테 목걸이도 돌려줬어요."

"무슨 일이라도 있었어?"

"그러니까 그때부터였던 것 같아요. 앤더슨이 제게 화를 내는 일이 점점 많아졌던 시점이요. 전에 넬리 경감에게 보고서를 올린 적이 있었어요. 괴물을 목격했다는 증언과 증거들이었죠. 그런데 수사 결과를 발표하는 자리에서 제가 올렸던 보고들이 하나도 언급되지 않았어요. 뭔가 좀 이상했죠. 기억을 더듬어 보니깐 앤더슨이 제 보고서를 대신 전달해 주겠다며 가져간 게 기억나더라고요. 그래서 그에게 넬리 경감에게 잘 전달했었는지 물어봤어요. 그랬더니 그가 불쑥 화를 내더라고요. 뭣 때문에 자신을 의심하는지 모르겠다면서요. 제출한 보고서를 확인해 보라고 하더군요."

"그래서 확인해 봤나?"

"네, 곧장 문서 보관실로 달려가서 자료를 찾아봤어요. 제가 올린 보고서가 남아있더라고요. 아차 싶었죠. 제가 오해했나 싶기도 해서 좀 미안해지더라고요. 그래서 앤더슨에게 미안하다고 말했어요. 그제야 앤더슨은 화가 좀 풀렸는지 거칠었던 숨소리가 좀 잦아들었어요."

"그런 일이 있었군."

"하지만, 이상한 점이 있었어요. 넬리 경감은 보고서에 늘 서명을 남기거든요. 그런데, 제 보고서에는 어디에도 그런 서명이 보이지 않았어요. 좀 의아했지만 그러려니 했죠. 그러고 나서 한동안 별일이 없었다가 이곳으로 온 뒤에 앤더슨과 다툼이 좀 있었어요."

"흠, 무슨 다툼이었지?"

"어느 날 제터 탐정님이 외출하고, 혼자 사무실에 남아있었는데 앤더슨이 찾아왔어요. 저를 보러 왔다고 하더군요. 점점 그런 날들이 늘어났어요. 이상하게도 꼭 탐정님이 안 계실 때마다 저를 만나러 왔죠."

"내가 자리에 있던 게 부담스러웠나? 몰랐군."

"하루는 저도 잠시 자리를 비웠다가 사무실로 돌아왔는데, 그 사람이 제터 탐정님의 책상에 앉아 뭔가를 찾는 것 같더라고요. 그래서 그 사람 이름을 불렀어요. 그랬더니 화들짝 놀라더라고요. 이상했죠. 제터 씨에게 허락은 받았는지 가볍게 물어봤는데, 마치 파혼이라도 각오한 것처럼 그의 말투와 표정이 순식간에 달라졌어요. 떨리는 입술과 일그러진 얼굴로 제게 소리를 질렀어요. 나를 믿지 못하냐면서요. 너무 당황해서 아무 말도 못 했어요. 분노로 얼룩진 모습이 잊히지 않아요."

"제니퍼에게 그렇게 말하다니 믿을 수가 없군."

"그 후에도 앤더슨은 하이드 수사 내용을 간간이 제게 물었어요. 아무리 가까운 사이라지만, 수사 내용은 알려주면 안 될 것 같아 대답을 회피했거든요. 그러자 저를 대하는 태도가 달라졌어요. 그것도 매우 많이요. 제가 생각했던 사람이 아니었어요. 이제라도 결혼 계획은 그만두려고 해요. 죄송해요. 쓸데없이 제 얘기만 늘어놓았네요."

제니퍼는 긴 옷소매로 촉촉해진 눈가를 훔쳤다.

"아니야. 아주 힘들었겠어. 제니퍼와 앤더슨 모두 생각할 시간이 필요할 것 같아."

"네, 그래야 할 것 같아요. 들어주셔서 고맙습니다. 이제 제 본래 모습으로 돌아와야죠."

제니퍼는 깊게 숨을 내쉬더니, 본래 그녀의 모습대로 입가에 미소를 띠려 애썼다. 탁자에 놓인 홍차를 두고 제니퍼와 대화를 이어갔다.

"제터 탐정님. 하이드를 보셨다고 했지요? 소문대로 끔찍하던가요?"

제니퍼는 어린아이 같은 표정으로 바뀌었다.

"믿을 수가 없더군. 분명 악마의 탈을 쓴 하이드였어. 그 눈빛도 쳐다보기도 싫었지. 살기에 가득 차 있는 그런 눈빛은 어디에도 본 적이 없었거든. 그런데, 이상한 건 경찰이 쏜 총탄 중 한 발은 맞았을 게 분명했는데 아무런 반응조차 찾을 수 없었던 거야. 마치 불사조라도 되는 것처럼 말이야."

"정말 생각만 해도 끔찍하네요. 아, 그리고, 난동을 부렸던 그 소년과 청년들의 정체가 밝혀졌어요. 피키 블라인더스 조직원들이라고 하더라고요."

"그러고 보니, 하이드와 관련되었다고 의심되었던 처음 사건에도 그 조직원이 연루되어 있었잖아? 그 조직원들을 해하려는 의도가 분명한 것 같은데…… 무언가 연결고리가 있는 듯 해. 그들의 신상을 살펴봐 주겠나?"

"그럼요. 그런데 줄리오 기자가 현장에 있었다면서요? 그 시간에 왜 거기에 있었을까요?"

"나도 의문스럽더군. 한밤중에 더군다나 위험한 지역이라는 걸 기자라면 모를 리가 없었을 텐데, 그런 우범지역에 홀로 있었다니 이해할 수 없더군. 무엇 때문에 거기 있었는지 알아봐야겠어."

"여기 보세요. 신문 기사가 났는데, 줄리오 기자가 직접 쓴 것 같아요. 그런데 정말 기사 내용처럼 하이드가 그녀를 도와준 게 맞을까요?"

제니퍼는 신문을 펼쳐 들었다.

"내가 본 하이드의 시선은 줄곧 대장 갱스터에게만 가 있었어. 눈빛에서는 동정이라고는 찾아볼 수 없었지. 하지만, 줄리오가 위험 상황에서 벗어나게 된 것은 어쨌든 하이드 덕분일 거야. 지난번 사건에서 노인이 처한 상황과 비슷했어. 갱스터가 그 노인을 폭행하고 있을 때 하이드가 나타났지. 흠…… 하이드가 누군가를 돕는다? 하이드가…… 그럴 리가."

고개는 저절로 가로저어졌다. 믿기 힘든 가정이었다. 그건, 의심할 것 없이 하이드의 뚜렷한 특성에서 벗어나는 행위였기 때문이었다.

똑똑.

"저에 대한 말을 나누고 계셨군요. 어디서부터 들었다고 말해야 할까요?"

줄리오 기자였다. 그녀는 팔짱을 낀 채 문에 기대어 서 있다.

"아무리 기자라고 해도 이렇게 불쑥 남의 사무실에 찾아오는 건 예의가 아니죠."

제니퍼는 일어나더니 그녀를 매서운 눈초리로 흘겨보았다.

"여기서 노크하며 기다렸는데, 좀 소리가 약했나 보죠?"

"그래도 그렇죠. 왔으면 왔다고 헛기침이라도 하던지요."

의자를 줄리오 앞으로 가져다 놓았다.

"앉아서 말씀을 나누시죠."

"그러죠. 제터 씨."

줄리오는 자리에 앉더니 여유롭게 다리를 꼬았다.

"오늘 오신 이유가 뭔가요?"

"경찰에 불려 조사받는 건 불쾌한 경험이 될 거로 생각했어요. 어찌 됐든 사건에 휘말리게 된 상황이니, 먼저 와서 그날 있었던 일을 말하는 게 낫다고 생각했어요."

"그러셨군요. 감사합니다. 수사에 도움이 되겠군요. 그럼, 사건 현장에 간 이유부터 말씀해 주시겠습니까?"

"그러니까"

뭔가 머릿속으로 생각하듯 그녀의 눈동자는 허공을 향했다.

"갱스터들을 취재하기 위해 술에 취한 행세하고 그들을 기다렸죠."

"어떤 취재죠?"

"그건 말씀드릴 수 없어요. 제보해 주신 분과의 약속이거든요."

"뭐, 그렇다면 알겠습니다. 그런데 이해되지 않는군요. 누구의 호위도 받지 않고, 위험에 홀로 들어간다는 게 말이죠. 혹시 다른 누군가와 함께했었나요?"

"아니요. 아무도 없었어요. 그들이 저를 그런 식으로 대할 줄 알았다면, 가지 않았겠죠. 다행히도 제가 위험에 빠져 있을 때 그 괴물이 나타나 저를 구해줬어요."

"경찰에 따르면 마치 약속이라도 한 것처럼 괴물이 나타나 당신을 구해줬다고 하더군요."

"글쎄요. 혹시 모르죠. 저를 지켜보고 있었을 수도 있잖아요?"

"그럴 수도 있겠군요. 흠, 지금은 딱히 더 물어볼 말이 없습니다. 사건을 좀 더 파악하고 나서 연락드리도록 하죠."

"알겠어요. 저에 대해서는 궁금한 건 더 없나 보군요. 그럼."

나가려는 그녀를 향해 말을 붙였다.

"저기 줄리오 양!"

돌아선 줄리오는 기대를 품은 듯한 눈빛이었다.

"기사는 잘 읽었습니다. 하이드에 대해 매우 우호적으로 기사를 쓰셨더군요."

"전, 제가 경험했던 걸 썼을 뿐이에요. 하이드가 그들에 비해 나쁜 사람이라는 걸 확인했다면 그렇게 쓰지 않았겠죠. 언제 시간이 되신다면 따로 하이드에 대해 구체적인 얘기를 나누고 싶군요. 차를 마실만한 분위기가 있는 장소라면 더욱 좋겠어요."

"미리 말씀만 주신다면, 이곳 사무실에서 기다리겠습니다."

줄리오는 "허-"하며 가슴에서 우러나오는 짧은 한숨을 내쉬었다. 그리고 입술을 지그시 깨물더니 옷자락을 힘껏 움켜잡고 밖으로 나가버렸다. 제니퍼는 고개를 내밀어 문밖을 내다봤다.

"줄리오 기자가 제터 탐정님에게 관심이 있어 보이던데, 눈치를 채지 못하셨어요? 제 느낌은 그래요."

"뭐? 그럴 리가? 아니야. 그나저나 단서에서는 뭔가 찾은 게 있었나?"

"어, 말씀하신 칼을 확인했는데요. 칼끝이 뭉툭해져 있었어요. 마치 돌멩이에 칼을 내려친 것처럼요. 분명 갱스터 중 한 명이 그 칼로 하이드의 다리를 찔렀다고 했는데, 피라든지 살점이라든지 그런 건 전혀 보이지 않았어요. 본래의 하이드도 그러했나요?"

"아니야. 본래의 하이드에게는 그런 신체적 능력은 없었어. 하지만, 이번에는 달라. 신체적 조건과 능력이 월등하지. 생김새도 구릿빛 피부에 우락부락한 체격을 가진 거대한 거인이었어. 하지만, 잭이 말했던 녹색 피부의 괴물은 아니었어. 수감되어 있는 그 범인은 더더욱 아닐 테고. 조금 혼란스럽군. 마치 하이드가 여럿인 것처럼 돼버렸어."

"그러게요. 정말로 여기저기서 하이드가 출몰하는 걸까요?"

15. 하이드의 귀환

며칠 뒤, 아무도 없는 사무실에 줄리오 기자는 홀로 앉아 있었다. 그녀의 농도 깊은 빨간 입술은 프랑스에서 크게 유행하는 립스틱을 발랐을 게 분명했다. 창백한 얼굴과 대비되어 더욱 도드라졌다. 그녀는 며칠 전과 다르게 도도하고도 매우 정색 된 얼굴을 띠었다.

"줄리오 양. 오셨군요. 오래 기다렸습니다."

"저를 조사할 게 있다면서요? 뭔가요?"

그녀의 말투는 얼어붙은 유리병처럼 차가웠다.

"당신에 대한 궁금한 점을 묻는다고 해두죠."

"말씀하시죠."

"수시로 드나들던 사람이 며칠 동안 보이지 않으니 나도 모르게 기다려지더군요."

줄리오는 어이없다는 듯 입술에서 힘없는 웃음을 터트렸다.

"설마 그럴 리가. 꽤 재미있군요."

"거동이 불편해 보입니다. 어디 다치셨나요?"

"넘어졌어요. 빙판길에요. 걷는 데는 문제 없어요."

"그래도 당분간 조심하셔야죠. 미세 골절이니 말입니다."

"네? 어떻게 알았죠?"

"며칠 전에 일어난 엘리엇 판사에 관한 수사를 진행하다 경비원이 쏜 총탄 세 발 중 한 발이 사라졌다는 걸 알게 되었습니다. 수색한 끝에 관사 밖에서 끝이 뭉툭해진 총탄을 발견했어요. 처음에는 그 뭉툭해진 총탄이 방탄복을 뚫지 못한 채 찌그러진 모양이라고 생각했습니다. 한데, 경비원은 소총이 아닌 장총을 사용했다 하더군요. 방탄복이라고 하더라도 가까이서 쏜 장총의 위력을 충분히 막을 정도는 되지 않죠. 분명 몸에 타격을 입었을 거로 생각했습니다. 그래서, 우리는 곧바로 근처 병원들을 모두 조사했지요. 며칠간 병원에 입원했거나 치료를 받았던 사람들을 말이죠."

"그런데요?"

"안타깝게도 조사했던 병원 명세에 당신의 이름이 적혀 있었습니다. 치료받은 내용을 확인해 보니, 총탄 충격에 의한 미세 골절이었지요. 의사의 소견과 엑스레이 사진을 확인했습니다. 변명이라도 해보겠소? 당신은 왜 그곳에 있었던 것이오?"

그녀의 눈동자는 미세하게 흔들거렸다.

"기억이 잘 나지 않아요."

"경비원은 당신의 모습이 거대한 박쥐와 같은 모습이었다고 기억하고 있더군요. 변장하고 간 것입니까? 그게 아니라면, 설마 당신이 하이드로 변한 건 아니겠지요?"

"……."

"당신은 이미 엘리엇 판사를 잘 알고 있었더군요. 그의 판결은 당신의 아버지를 죽음으로 몰고 갔으니까. 받아들이기 힘들었겠지. 어쩌면 일말의 복수를 꿈꾸었을지도 모르겠소. 아버지의 죽음에서 비롯된 한 가정의 몰락을 겪어야만 했던 당신의 마음을 어떻게 이해할 수 있겠소. 한때 낭만적인 소설가를 꿈꾸었던 소녀를 이토록 매섭고 차가운 기자로 만들게 된 이유가 거기에 있던 게 아니었을까?"

"그만하시죠. 이건 제 스타일이 아니에요. 더러운 동정 따위는 필요 없어요."

"미안하지만, 당신은 두 가지 사건에 연루되어 있어요. 하나는 엘리엇 판사의 관사에 무단침입한 것이고, 다른 하나는 당신이 갱스터들에게 잡혀 있었던 사건이오. 그 사건에서 갱스터 두목이 목숨을 잃었소. 그의 죽음은 우연이었을까? 나는 의아했소. 괴물은 처음부터 그를 노린 게 분명했으니까. 당신은 갱스터들을 살피러 갔다고 했지만, 실제로는 그들의 두목을 도발하는데 애썼지 않았소? 마치 죽음을 각오하듯 그들 속에 뛰어들었지. 그 자신감은 조력자가 없었다면 불가능했을 거요. 그 조력자는 누구였을까? 다름 아닌 앤더슨이었소. 사건 현장 주변을 조사하다 작은 술집에서 당신들을 보았다는 목격자를 찾았지. 사건이 일어나기 며칠 전부터 술집 창가에 앉아 문을 닫는 시간까지 함께 있지 않았소? 당신의 출중한 외모와 독특한 차림새 그리고 앤더슨의 큰 키와 특별한 외모는 사람들의 이목을 끌기 충분했겠지."

"그런 이유만으로 나와 앤더슨을 하이드와 엮으려 하는군요."

"앤더슨은 엘리엇 판사의 집 위치와 구조를 누구보다 잘 알 수 있었소. 경찰이라는 신분을 이용해서 말이오. 그가 도와주지 않았다면 당신은 관저에 들어갈 수 없었을 거요. 그리고 갱스터들이 당신을 인질로 잡았을 때도 마찬가지였지요. 갱스터들의 행동반경과 면면은 이미 앤더슨이 잘 알고 있었소. 그런데, 앤더슨은 당신에게 왜 그런 조력자의 역할을 했을까요? 앤더슨은 학창 시절 상습적인 구타와 갈취를 당했더군. 죽은 갱스터 두목이 주도한 갱스터들로부터 말이오. 결국 학업을 제대로 이어가지 못하고, 다니던 학교를 그만뒀지. 그게 당신을 도운 이유였을까요? 아니면, 당신과의 인연도 하나의 이유였을까요?"

"어떤 인연을 말하는 거죠?"

"비록 성사되지는 않았지만, 과거에 당신과 앤더슨은 결혼을 목전에 둔 사이이지 않았소? 둘 사이에 미련이 남아 있었던 거요? 당신은 앤더슨과 제니퍼와의 관계를 모르고 계속 만났다고 할 텐가요?"

줄리오는 턱을 쭉 내밀더니 두 손등으로 받치며 지그시 눈을 감았다.

"미련이요? 그건 전혀 사실이 아니에요. 사실 앤더슨과의 결혼계획은 부모님의 욕심이었죠. 돈 많은 사업가가 꿈인 아버지는 딸이 그런 곳에 시집을 가주길 원했어요. 전 돈을 떠나서 사람만 좋다면 괜찮다고 생각했어요. 그런데, 앤더슨을 직접 만나보니 제 생각과는 아주 다르더군요. 어딘지 모르게 차갑고, 음산하고, 어두운 기분이 그 사람을 지배하고 있었어요. 두려왔어요. 결혼을 하지 않겠다고 했지만, 양가의 부모님은 제 의견을 무시한 채 결혼을 서둘렀죠. 그러다 앤더슨의 집안이 갑자기 파산하게 되면서 결혼은 없던 일이 되었어요."

"그럼, 미련 때문이 아니라면 무엇 때문에 다시 만난 겁니까?"

"후……."

"줄리오, 하이드는 사람들을 자의적으로 심판하고 있어요. 이것으로 끝이 아닐 것이오. 계속해서 하이드에 의해 사람들이 죽거나 다쳐 나갈 거요. 당신이 거기에 동조하지 않는다면, 이제라도 진실을 말해 주시오."

그녀는 다시 온기가 느껴지는 커피잔을 매만지며 뜸을 들이다 한 모금을 마시고 말을 이어갔다.

"저도 사람이 그렇게 죽을 줄 몰랐어요. …… 말해 드리죠. 그와 다시 마주친 건 사건취재를 하러 경찰청에 방문하면서였어요. 그는 발령받고 버밍엄 경찰청에 근무한 지 얼마 되지 않은 상태였죠. 좀 혼란스럽고 당황스러운 상황이었지만 내색하지 않고 서로 모르는 척했어요. 그러던 어느 날, 제가 일하던 신문사로 비밀스러운 속보가 도착했어요. 제 이름 앞으로요. 누가 보낸 건지 쓰여 있지 않았지만, 흥미로운 기사가 될 것 같다며 보내준 내용이었어요. 제목에는 하이드의 귀환이라고 쓰여 있었죠."

"아! 그건 당신이 썼던 신문 기사의 제목 아니었소?"

"네, 대신 그는 자신의 존재를 비밀에 부쳐달라고 했어요. 그

114

렇지 않으면 다른 신문사로 특종을 넘기겠다면서요. 거기에는 하이드와 관련된 사건이 일어난 장소와 시간이 적혀 있었어요. 처음에는 믿지 못했지만, 사건이 발생한 현장을 확인하고 나서야 속보를 보낸 사람이 뭔가를 알고 있구나 라는 생각이 들었어요."

"그러니까 처음에는 앤더슨이 연관된 일이라는 걸 몰랐다는 거군요."

"네, 그러다 얼마 지나지 않아 그 사람이 속보를 하나 더 보내더군요. 사회적 공분의 대상이 출소한다는 사실을 알려주면서 교도소 근처에서 재미있는 일이 벌어질 거라 했어요. 그가 말한 날짜에 교도소를 찾아갔어요. 안개가 자욱했어요. 횅한 거리에는 지나다니는 사람들도 보이지 않았죠. 교도소 끝자락에 몸을 웅크린 채 최대한 몸을 숨겼어요. 한참 동안 기다리자, 말발굽 소리가 들리면서 마차가 멈춰 서는 소리가 들렸어요. 그리고 얼마 있지 않아 이번엔 남자의 괴성이 들렸어요. 고개를 들어보니 그 사람 앞에는 커다란 괴물이 있었어요. 그 괴물은 주춤거리며 뒤로 물러서는 사람을 쫓아가더니, 휘청거리면서도 이곳저곳 닥치는 대로 주먹질을 해댔어요. 담장을 부서져라 치더라고요. 괴물과 마주한 남자는 그 광경을 보고는 기겁하고 도망가는데, 괴물이 휘두르는 팔에 부딪혀 그만 바닥으로 넘어졌어요. 어딘가 충격을 받았는지 움직이지 않더라고요. 괴물은 술에 취한 듯 비틀대다 이내 마차와 함께 사라져 버렸죠."

"사건이 일어나기 전 혹시 타는 냄새를 맡지 못했소?"

"아. 맞아요. 타는 냄새가 진동하더니 한참 뒤에 교도소 맞은 편 너머로 여러 대의 마차가 요란한 종소리를 울리면서 달려갔어요. 이번 사건과 무슨 연관이라도 있나요?"

"누군가 사람들의 시선을 분산시키려고 불을 질렀을 것이오. 덕분에 탐은 유유히 사건 현장을 빠져나갈 수 있었겠지요. 그건 그렇고 다음이 궁금해지는군요. 그 이후에 다시 속보가 왔었나요?"

"아니요. 속보를 보낸 이가 직접 찾아왔어요. 그 사람은 바로 앤더슨이었죠. 나에게 왜 그런 문서를 보냈는지 의아해하자, 그는 자신의 이야기를 들어 줄 현명한 누군가가 필요했다고 하더군요. 그러면서 제가 그런 존재라고 하더군요. 하이드의 존재를 편견 없이 세상에 알릴 수 있는 사람이라고요."

화력이 약해지자, 벽난로 옆으로 쌓아둔 장작을 불구덩이에 집어넣었다.

"그 후 이야기가 궁금하군요."

"앤더슨은 돌아가신 제 아버지에 관해서 얘기했어요. 권력자들의 입김에 놀아난 판결이 아니었다면 그렇게 허망하게 떠나실 분이 아니었다고요. 판결을 한 사람을 원망하지 않냐고 묻더군요. 그래서 원망했었다고 말했어요. 아버지의 죽음이 너무 헛되었으니까요. 앤더슨은 그를 향해 양심을 저버린 인간이라고 강하게 비난했어요. 그러면서 루비색과 비슷한 약물을 하나 건네줬어요. 이걸 마시면 마음속에 가두었던 원망과 분노로부터 자유로워질 수 있다고 말하더군요."

116

"그래서 앤더슨이 건네준 약물을 바로 마셨나요?"

"아니요. 그가 어디론가 저를 데리고 가더군요. 그는 엘리엇 판사의 관사가 내려다보이는 야트막한 언덕으로 절 데려갔어요. 그리고 엘리엇 판사가 어디에 묵고 있는지 위치를 알려 주더군요. 당신의 말대로 그는 그 집의 구조를 훤히 꿰고 있었어요. 무슨 일이 벌어질지 몰랐어요. 그때까지만 해도 말이에요. 갈등이 오갔어요. 두려움도 엄습했죠. 아버지를 떠올렸죠. 그러자 두려움이 이내 사라졌어요. 숨을 참고 약물을 단숨에 들이켰어요. 온몸이 달아오르기 시작하더군요. 술에 취한 사람처럼 정신마저 혼미해졌어요."

"그래서 어떻게 되었나요?"

"정신을 차릴 때쯤 전 제가 아님을 알 수 있었어요. 모든 게 달라져 있었죠. 온몸이 시커먼 박쥐의 모습을 하고 있었어요. 경비원은 두려움이 가득한 눈빛으로 총을 들고 서 있었어요. 본능에 따라 몸이 움직이듯 했어요. 그에게 다가가더라고요. 그렇다고 사람을 다치게 할 생각은 전혀 없었어요. 총성이 울리고 나서야 몸을 제 의지대로 조금이나마 움직일 수 있었어요. 곧바로 담장을 넘어갔어요. 그리고 정신을 잃었는데, 앤더슨의 집이었죠."

"앤더슨의 집이었다고요? 앤더슨이 당신을 데려간 곳이 어디였는지 아시오?"

"정확한 위치는 생각나지 않지만, 주변으로는 큰 물줄기가 흐르는 계곡이 있었고, 그 위로 거대한 아치 형태의 철교가 놓여 있었어요. 거길 건너는 광부들도 드문드문 보였죠."

"철교라…… 내가 생각한 곳이 맞는다면 앤더슨의 본래 집은 아니오. 당신이 머물렀다던 앤더슨의 은신처로 나와 함께 가 주시겠소?"

"네? 앤더슨은 경찰청에 있지 않나요?"

"아니요. 그는 며칠째 출근을 하지 않고 있습니다. 의심받고 있다는 사실을 눈치챈 것 같아요. 그는 집을 나선 뒤 사라졌소. 우리는 그의 행방을 쫓고 있어요."

"알겠어요. 그 근처로만 가 주시면, 제가 알려 드릴 수 있을 것 같네요."

"그럽시다."

16. 은밀한 실험실

　곧바로 줄리오와 마차를 타고 출발해 그녀가 말했던 계곡 근처에 도착했다. 계곡 사이로 부는 매서운 바람은 자연스럽게 몸을 움츠리게 했다. 계곡 위로 걸쳐져 있는 철교를 건너서 그녀의 기억에 의존해 방향을 잡았다. 산 중턱에 해가 남아 있었지만, 산그림자로 가리어진 숲은 이미 어둡게 변해갔다. 숲길의 끝에서 나무들은 듬성듬성해지고, 굴 틈으로 작은 통나무집한 채가 비집고 들어가 있었다. 줄리오는 한 손으로는 입을 가린 채 다른 손으로 통나무집을 가리키며 조심스레 말했다.

　"여기예요."

　그녀의 말에 고개를 끄덕였다. 자세를 최대한 낮추고 조심스럽게 집 주변을 돌았다. 앞마당에는 불을 피운 흔적이 남아 있었는데, 재의 흔적이 젖지 않고 고스란히 남은 것으로 보아, 며칠 전 비가 온 뒤 누군가 머물렀을 게 분명했다. 통나무 벽에 기대서 작게 난 창문을 엿보았다. 어두운 집안은 아무런 움직임이 없었다. 출입문은 단단한 자물쇠로 굳게 잠겨 있었다. 허리춤에 있던 소총을 꺼내 장전하고 자물쇠를 겨냥해 쏘았다. 귀를 찢는듯한 총성이 퍼지고 자물쇠가 나가떨어지는 경쾌한 소리가 울렸다. 문을 밀고 들어가 탁자에 놓인 램프에 불을 켰다. 내부는 서너 사람이 있기에 비좁은 정도였고, 천장은 키가 큰 사람은 고개를 숙이고 드나들어야 할 정도로 높이가 낮았다.

"앤더슨은 어디로 갔을까요?"

줄리오가 물었다.

"글쎄요. 그가 오기 전에 방안을 살펴봐야 하겠소. 흠, 이 많은 유리병으로 실험했던 거로군."

액체를 담은 유리병들이 선반 위로 층을 이루어 한쪽 벽면에 차지했다. 기다란 책상 위에는 확대경과 유리 비커, 유리 시험관, 증류장치와 기름 램프가 놓여 있었다. 그리고 책들이 또 한 벽면을 차지했는데, 일반인은 이해할 수 없는 상당한 전문 지식이 요구되는 의학서적들로 가득했다.

"앤더슨이 상당한 의학지식을 가지고 있었군요. 이런 책들을 읽을 정도라면 말이요."

"모르셨나 보군요. 앤더슨은 의과대학을 다니다 중퇴했어요. 예전에 제게 말했어요. 그러다 뒤늦게 경찰에 지원해서 들어갔지만 말이에요."

"의과대학을 다녔다고…… 어? 이건 뭐지?"

서적들을 들추다 휘갈겨 낙서한 듯한 여러 장의 종이를 한데 묶은 노트가 나왔다. 노트에는 여러 가지 실험 과정과 조제법들이 적혔는데, 몇 장을 넘기다 이상한 느낌에 손이 저절로 멈췄다. 종이를 넘기는 질감이 다른 서류뭉치들과 확연히 달라서였다. 매우 낯익은 그 느낌은 경찰청에서 쓰던 종이의 재질이 확실했다. 종이의 바래짐이 심하지 않은 걸로 봐서는 그리 오래되지 않은 시기에 가져온 것이었다. 그가 굳이 경찰청에서 종이를 가져와 사용할 이유가 있었을까?

"몇 권의 문서는 증거물로 챙겨가야겠어요. 나머지는 경찰이 처리하도록 하죠."

"그럼, 앤더슨은 어디 있는 걸까요?"

"글쎄요. 또 다른 하이드를 만들고 있지 않을까요? 버밍엄을 빠져나가는 검문소마다 앤더슨에 대한 신상정보를 알려주고, 그를 잡도록 요청해 놓은 상태예요. 다른 지역으로 빠져나가기가 쉽지 않겠죠. 그런데 하나 물어봐야 할 게 있소. 당신과 내가 보았던 하이드가 앤더슨이었소?"

"네, 그날의 하이드는 앤더슨이었어요."

"그럼, 당신이 사건 현장에 있었던 건 무슨 이유였소?"

"제가 그 사건 현장에 있던 이유는…… 그러니까"

줄리오는 머뭇대며 아랫입술을 질끈 물었다.

"사건이 발생하기 얼마 전이었네요. 앤더슨은 자신을 돕지 않으면, 이상한 약을 먹고 관사를 침입한 저에 대해 폭로하겠다고 했어요. 순간 앤더슨의 덫에 걸렸다는 생각이 들면서 아찔해졌어요. 그는 고민할 틈도 주지 않고 제게 할 일을 알려주더군요. 갱스터 무리 중 한 명을 지목하며, 그를 자극하라고 했어요. 왜 그러냐고 물었더니 그가 중대한 죄를 저질렀다고 하더라고요. 누군가의 인생을 망쳐놓은 죄라면서 그를 꼭 처벌해야 한다고 했어요. 그리고 하이드와 관련한 우호적인 기사를 내라고 지시했어요."

"그래서 동의했나요?"

"저는 앤더슨이 그들에게 위협만 가할 줄 알았지 죽일 줄 몰랐어요. 변명일지도 모르지만, 그날 밤 사건 현장은 어두워서 그들이 어떤 상처를 입었는지 제대로 몰랐어요, 새벽에 기사를 냈는데, 그 후에 사망자가 나왔다는 걸 알았어요. 그 충격으로 방안에 틀어박혀 멍한 상태로 지냈어요. 모든 게 꿈이 길 바랬죠. 그러다 정신을 차리고 당신을 찾았어요. 사건에 대해 말하려고 했는데, 막상 당신과 마주하니 그럴 용기가 사라졌어요."

"이제라도 용기 내서 말해줘서 고맙습니다. 줄리오 양."

"아니에요. 진작 말해야 했는데, 숨기려고만 한 저 자신이 한없이 부끄러워지네요."

"늦기 전에 돌아갑시다."

17. 남겨진 편지

달빛 사이로 오렌지색 가로등은 간간이 길가를 밝혔다. 마차에서 내려 오래전에 머물렀던 버밍엄 외곽에 있는 낡은 집을 찾았다. 마당에 놓인 커다란 돌들을 밟고 문 앞으로 다가가자, 틈이 벌어진 나무 마루는 유령이 튀어나올 것처럼 울어댔다. 문 앞에 쳐진 커다란 거미줄은 낯선 이의 출입을 방해했지만, 주머니 속 열쇠를 찾아 집 안으로 들어가는 데는 아무런 문제가 없었다. 컴컴한 내부는 어두움 그 자체였다. 라이터로 집안에 놓인 양초를 찾아 불을 켰다. 주위가 점차 환해지자 깨진 창문과 흙먼지들로 뒤덮인 바닥 그리고 흙먼지 사이로 어지럽게 남겨진 신발 발자국들이 눈에 들어왔다.

"저 유리창은 언제 깨진 거지? 그리고 저 발자국들은? 여기를 떠난 지 오래되었으니 내가 기억하지 못하고 있는 거겠지. 아니면, 어떤 부랑자들이 이곳을 은신처로 삼았을 수도 있겠군."

혼잣말을 하니 오싹한 분위기가 잠시 달아났다. 집안을 둘러보았다. 남겨져 있는 건 넓은 책장과 낡은 소파 그리고 작은 난로가 전부였다. 책장 한구석에 있는 놓인 두꺼운 책 몇 권을 꺼내 들고 소파에 앉았다. 책 상태는 비교적 양호했다. 종이는

빛이 바랬지만, 활자들은 흐트러짐이 없었다. 들춰보니 지킬 박사와 관련된 신문 보도들과 어터슨 변호사와 주고받았던 편지들이 스크랩되어 있었다. 어터슨 변호사와는 하이드에 대한 수사로 몇 번 왕래하던 사이였다. 그는 지킬박사의 마지막 유산을 상속받았는데, 특별한 노트도 포함되었다. 이 특별한 노트에 대해 어터슨 변호사와 주고받은 편지가 남아 있었다. 이런! 이런 중요한 편지가 여기에 있었다니.

"제터 경감. 어터슨 변호사입니다. 매우 오랜만이오. 지난번에 유산에 관해 말하다 말았소. 내가 지금 말하고자 하는 건 그가 남긴 재산에 관한 것이 아니오. 지킬 박사가 나에게 남긴 또 다른 유산에 관한 것인데, 그건 실험 노트에 관한 것이오. 이건 매우 중요한 문제요. 지킬은 그가 하이드로 바뀔 수 있었던 약물의 조합에 대해 진지하고도 자세하게 노트에 썼소. 물론 완벽한 방법은 지킬도 찾지 못했지만 말이오. 나 같은 사람에게는 이 노트가 아무런 소용이 없겠지만, 의학적으로 해박하다면 비슷한 약물을 만들지 못할 이유는 없어 보이오.

고민에 빠졌소. 고민의 이유는 나 자신 때문이오. 더 이상 그의 유산을 지킬 수 없게 되었소. 내 몸이 말을 듣지 않게 되었다는 뜻이오. 재산에 관한 문제라면 그리 고민이 되지 않았겠지만, 이 노트는 내가 처리할 수 없을 것 같소.

이 노트를 없앨까도 잠깐 생각해 봤소. 그러자니 평생을 바친 지킬의 연구가 한 순간에 공중으로 사라지는 것 같아 마음이 편치 않았소. 지킬이 나에게 유산으로 남겨 줬으니, 내가 마땅히 이 노트를 누군가에게 물려줘야 하는 게 맞지 않나 싶소. 악용되지 않는다면, 의학 연구자료로 쓸 수 있게 기증하였으면 하오. 혹시 아오? 이 노트에 적힌 비법으로 미래에는 정신병자가 없는 세상을 만들지 말이오. 제터 경감의 의견은 어떻소?"

바로 옆에는 어터슨 변호사가 보낸 또 다른 편지가 있었다.

"답장을 잘 보았소. 제터 경감도 나와 같은 생각이라고 하니 한결 마음이 가벼워졌소. 실험 노트는 보안이 철저한 곳에 두어야 한다고 생각했소. 지킬의 연구를 이을 명망 있는 의학자가 나타난다면, 그가 볼 수 있게 해 두었으면 하오. 그래서 생각한 곳이 버밍엄 경찰청의 지하 감옥이오. 그곳은 과거 특별한 죄수들을 수감했던 곳이라고 들었소. 그 노트가 특별한 죄수는 아니지만, 그만한 감시를 받아야 한다고 생각하오. 물론 경찰청은 내 집에서 가깝기도 하거니와 내가 죽어서도 크게 신경 쓰지 않을 수 있으니 다행이지 않겠소? 내가 이 노트를 들고 직접 버밍엄 경찰청으로 방문하겠소. 모든 건 비밀에 부쳐주시오."

그때, 누군가 창밖에서 손전등으로 불빛을 비추었다.

"누구냐!"

고함에 손전등 불빛은 어디론가 사라지고 재빠르게 달아나는 발걸음 소리가 울렸다. 집 밖으로 나가자마자 알 수 없는 정체는 이미 사라진 뒤였다. 주변을 샅샅이 찾아보았으나 아무것도 찾을 수 없었다. 무성하게 자라있는 이름 모를 잡초들과 달빛을 받아 커다란 자태를 내뿜는 나무들만 자리를 지킬 뿐이었다.

"이렇게 폐허가 돼 버린 집에 좀도둑이 올 일은 없을 테고. 정말 부랑자들의 은신처가 돼 버린 건가? 만약 누군가 여기에서 이 편지를 읽었다면, 경찰청 내부에 중요한 실험 노트가 있다는 걸 알게 되었다는 뜻이고, 그 사람이 앤더슨이라면…… 설마 그럴 리가."

18. 사라진 넬리 경감

    다음날, 경찰청은 여느 날과 다르게 사람들로 로비가 가득했다. 마침, 로비에 있던 제니퍼는 급하게 달려왔다.

    "저기, 제터 탐정님. 큰일 났어요. 넬리 경감이 어제저녁부터 보이지 않았대요. 그래서 경찰들이 찾으러 다니는데, 누군가에게 납치된 것 같다고 하더라고요."

    "앤더슨이…… 아닐 거야. 그러지 않기를 바라야지."

    제니퍼는 소스라치게 깜짝 놀라며 말했다.

    "설마 앤더슨이 그랬을까요?"

    그때였다. 로비로 황급히 뛰어 들어온 사내가 다급한 목소리로 소리를 질렀다.

    "저기, 빅토리아 광장 근처에서 누군가 넬리 경감을 인질로 잡고 있다고 합니다."

    "뭐! 그게 사실이오?"

    곧바로 사람들과 함께 밖으로 뛰쳐나갔다. 경찰들은 시민들을 안전한 장소에 대피시켰다. 그리고 만에 하나 있을지 모르는 일들에 대비했다. 장총을 든 경찰들과 말을 탄 경찰들이 경찰청에 모여 명령을 기다렸다. 그 와중에 경찰들을 제치고 한 명이 급히 달려와 쪽지 한 장을 건넸다.

"제터 씨. 누군가가 급히 보낸 전갈입니다."

줄리오가 쓴 편지였다.

- 제터 씨. 조금 전에 이 쪽지 내용을 앤더슨이 저에게 보냈어요. 점점 그가 극단적으로 변해가고 있어요. 제터 씨도 아셔야 할 것 같아서요. 경찰에게도 쪽지 내용을 알려줬어요.

이어진 쪽지 내용에는 납치당한 넬리 경감을 풀어주는 조건이 쓰여 있었다.

- 넬리 경감은 부패한 경찰이오. 난 그를 인질로 잡고 있소. 이 사실을 모든 사람이 알 수 있게 호외를 내길 바라오. 그가 고위직 인사에게 건넨 뇌물과 비리 목록을 당신 앞으로 보내겠소. 그 내용은 넬리 경감이 나에게 실토한 것들이오. 그리고 아래 내용을 경찰에 말해 주시오. 넬리 경감이 무사히 그대들에게 돌아가길 원한다면, 버밍엄을 빠져나가 코번트리로 가는 길목에서 작은 남자아이에게 왼손에는 모자를 들게 하고, 오른손에는 하얀색 천을 흔들고 있게 하고, 지폐로 가득 채워진 상자를 그 아이에게 맡겨 놓으시오. 그리고 내가 버밍엄을 빠져나가기까지는 아무도 쫓아오게 하지 말기 바라오. 약속을 지켜준다면, 넬리 경감은 버밍엄을 지나 코번트리로 향하는 길목 어딘가에 안전하게 풀어줄 것이오. 만약 그렇지 않다면, 그는 내 손으로 처단할 것이오. 내 수중에는 권총이 들려 있으니 선

부른 행동을 하지 말기를 바라오.

경찰들은 로비에 모여 계획을 세우고 있었다. 우선 넬리 경감이 풀려나도록 앤더슨의 요구 조건을 들어주는 쪽으로 의견을 모으고 있었다. 그런 다음, 코번트리에 잠복한 경찰들이 그를 덮치게 하자는 다소 뻔한 계획이었다.

"제터 탐정님. 코번트리로 가는 길목에서 앤더슨을 잡으려고 하나 봐요. 저희는 어쩌죠?"

"앤더슨은 아마도 둘 중 하나겠지. 진실을 말했거나 기만했거나. 난 더들리로 가서 그를 기다려야겠어."

"네? 더들리라면 앤더슨이 말한 방향과 정반대 방향인데……. 만약 경찰 대부분이 코번트리 방향에서 기다리고 있다면, 반대편인 더들리가 도망치기는 쉽겠네요. 그런데, 구체적으로 돈을 요구할 정도라면 코번트리로 가지 않을까요?"

"순순히 잡히지는 않을 거야. 하지만, 어느 쪽이든 잡힌다면 다행이겠지."

눈가로 차오르는 감정을 그녀는 애써 묻고 있었다.

"네…… 정말 그 사람이 저를 이용해서 수사 기밀을 빼가려고 했을까요? 제게 조금의 진심도 없었을까요? 너무 허무해요. 그래도 절 사랑하는 마음이 조금이라도 있다고 생각했었거든요. 이제라도 그 사람이 이 구렁텅이에서 빠져나왔으면 좋겠어요."

"안타까운 일이야. 나도 앤더슨이 이 일을 여기서 멈춰 줬으면 좋겠어. 더들리는 나 혼자서 가도록 하지. 앤더슨과 마주치면 자네의 심경이 어떻게 변할지 모르니. 제니퍼는 여기서 기다리는 게 낫겠어."

"아니에요. 저도 갈게요. 제가 크게 도움이 되지 않겠지만, 단단히 마음먹을게요."

"물론 알아. 자네의 마음은. 하지만, 이번에는 안 되겠어."

"네, 제가 방해 될 수도 있겠네요. 제터 탐정님. 몸조심하세요."

"그래. 고맙네."

예상대로 더들리로 가는 방향으로는 아무런 제지가 없었다. 그 흔한 검문조차 이루어지지 않았다. 가는 길에 내려서 작은 나무에 말을 묶어두고, 높은 산등성이로 올라 버밍엄에서 더들리로 향하는 길목을 망원경으로 지켜보았다. 얼마쯤 지났을까? 지나가는 사람들 사이로 빠르게 쌍두마차가 지나갔다. 말을 모는 이는 채찍을 들었는데, 그가 앉은 의자 뒤로는 두 명의 사람이 앉을만한 칸이 존재했다. 그는 뭔가 급한 듯 달리는 말에 채찍질을 더하였다. 모자에 가려 얼굴은 자세히 볼 수 없었지만, 굽은 등과 삐쩍 마른 긴 몸체는 그가 앤더슨이라는 사실을 분명히 가리켰다. 그를 확인하자마자 언덕을 급하게 내려와 바위틈으로 웅크렸다. 멀리서 모래바람을 일으키며 달려오는 쌍두마차는 버밍엄에서 전속력으로 달려와 지쳤는지 말들의 움직임은 현저히 느릿해졌다. 앤더슨이 몰고 있는 마차가 옆을 지나갈 때쯤 나무 뒤에 숨겨 두었던 말을 타고 뒤쫓아나갔다. 앤더슨은 눈치를 챘는지 뒤를 힐끔 보았다. 누군가 자신의 마차를 따라온다는 걸 확인하고는 방향을 이리저리 바꾸었다. 하지만, 그럴수록 마차의 속도는 느려졌다. 느려진 틈을 타 말의 속도를 끌어올려 쌍두마차의 뒤끝까지 따라갔다. 바짝 쫓아간 뒤 마차의 뒤편과 일정한 속도가 유지된 찰나, 마차의 끝부분으로 뛰어올랐다. 다리는 허공을 헤맸지만, 손은 다행히 마차를 붙잡고 매달릴 수 있었다. 땅바닥에서 올라오는 바퀴의 진동과 마차의 휘청거림은 버티기 힘든 수준이었지만, 가까스로 지붕의 모서리 부분을 짚고 올라섰다. 낮은 자세로 지붕 위를 기어서, 앤더슨의 뒤를 덮쳤다. 그리고, 그의 목을 팔로 조였다. 그러자, 순간 마차는 요동을 치며, 제 갈 길을 잃었다. 앤더슨은 말들을 조정하던 채찍의 손잡이를 과격하게 뒤로 휘둘렀다. 그의 위협에 목을 풀어주자, 앤더슨은 뒤돌아 주먹을 날렸다. 그의 주먹을 뒤로 슬쩍 피하고 지나치는 그의 오른쪽 볼을 향해 왼 주먹으로 강하게 맞받아쳤다. 그는 비틀대다 낙마하는가 싶더니, 떨어지는 찰나 내 발목을 두 손으로 꽉 부여잡더니 함께 미끄러졌다. 하필 그 떨어지는 지점은 좌우로 날카로운 경사가 이어지는 길이었다. 앤더슨과 함께 그 경사면으로 굴러떨어졌다.

"으악!"

몇 바퀴를 돌았는지 몰라도 깨어나서 한동안 정신을 차릴 수가 없었다. 앤더슨은 몇 걸음 떨어진 곳에서 엎드려 있었다. 몸을 일으켜 그에게 가까이 다가가 보니, 눈이 감겨진 상태였고, 얼굴이 까진 것 말고는 별다른 출혈 부위는 찾아볼 수 없었다. 코끝에 손가락을 가져가니 미세한 숨결이 손마디를 스쳐 지나갔다. 시선을 돌려 마차가 어디로 사라졌는지 둘러보았다. 마차는 좀 떨어진 곳 경사가 끝나는 지점의 작은 평지에 멈춰 있었고, 말들은 땅바닥으로 납작하게 기댄 어린 풀들을 여유롭게 뜯고 있었다. 양복 안주머니에서 노끈을 꺼내 앤더슨의 팔과 다리를 묶어두고, 만신창이가 된 발을 이끌고 경사진 길을 올라 마차로 향했다. 마차가 있는 평지에 다다르니 말들은 나를 보고도 동요하지 않고, 침착하게 제 할 일을 했다. 말의 고삐를 쥔 채 가볍게 몸을 쓰다듬자 이내 고개를 끄덕이며 커다란 눈망울을 껌벅거렸다. 말 훈련 상태라든지 안장과 고삐의 재질은 경찰청 소속의 말이라는 걸 알려주었다. 마차 문을 열어보니 넬리 경감은 몸이 묶인 상태로 누워 있었다. 입에는 재갈이 물린 채 앓는 소리를 내었다. 재갈과 밧줄을 풀어냈다.

"이봐. 넬리! 정신 차려!"

그러자, 눈에 힘을 주더니 이내 스르르 눈을 떴다. 그리고 가까스로 앉아 차갑고도 담담한 말투로 물었다.

"다른 경찰들은 어디로 가고, 자네가 왜 여기는 있는 거지? 이제 하이드를 잡을 일도 없으니, 경찰 노릇이라도 해보겠다는 건가?"

"자네를 구해주지 말고 놔둘걸 그랬어. 자네의 소원이라면 말이야. 어찌 된 영문인지나 말해주게."

"어떻게 된 일이긴. 앤더슨이라는 놈이 마차를 몰 하인들을 묶어두고, 내가 마차에 오르기만을 기다렸다고 하더군. 그러다 마차를 타려는 순간 뒤에서 날 덮쳤지. 그 누구라도 당할 수밖에 없었던 상황이었어."

"자네가 실토했더군. 앤더슨이 자네의 비리를 들추었어. 그게 사실이라면 말이야."

다급하게 말을 가로막았다.

"그건 앤더슨의 협박에 어쩔 수 없이 지어낸 말들이었어."

"지어낸 말이었다고?"

"그럼. 뭐겠나? 내 치부를 그놈한테 보여 줄리 있겠나?"

"알겠네. 일단 경찰청으로 들어가서 얘기하지."

"앤더슨, 이놈. 가만두지 않겠어."

넬리 경감은 부르르 떨며 두 주먹을 꽉 움켜쥐었다.

19. 철창 조사실

마차에 앤더슨과 넬리 경감을 태우고 다시 경찰청으로 돌아왔다. 경찰청 지붕은 이미 붉은 석양으로 덮였고, 이름을 알 수 없는 검은 새 한 마리가 그곳에서 괴이하고도 섬뜩한 소리로 울부짖었다. 앤더슨과 함께 조사실로 향했다. 보통은 책상 하나가 마련된 햇빛이 들어오지 않는 음습한 지하에서 대면 조사하는데, 이번에는 그가 달아나지 못하게끔 두꺼운 철창에 가둔 상태로 조사가 이루어졌다. 잠시 몇몇 경찰들에게 조사실을 맡기고, 총경실에 보고하러 올라갔다. 총경은 무덤덤하게 칭찬을 늘어놓았지만, 자신들이 직접 잡지 못했다는 것에 분개하는 눈치였다. 몇 마디 주고받고서 조사실로 다시 향하는데 통로에서 제니퍼와 마주쳤다.

"제니퍼. 조사실에 들어갔었나 보군."

그녀의 눈망울에 맺힌 눈물이 흘러내릴 듯하였다.

"네, 앤더슨을 보는 마지막 날이 될 것 같아서요. 이야기를 조금 나눴어요. 허락을 미리 받았어야 했는데, 죄송해요."

"그래. 알겠네."

조사실로 들어서니 앤더슨은 철창 건너편 바닥에 앉아 벽에 등을 기댄 채 눈을 감고 있었다.

"앤더슨. 자네에게 궁금한 게 많네. 수사에 협조해 주게."

"대단하더군. 내가 더들리로 향하는 걸 어떻게 알았지?"

"그저 운이 좋았다고 해야 하나? 하나 분명했던 건 자네가 경찰에게 접선 장소를 알려주었다는 게 수상했다는 것이지. 경찰이 기다릴 거라는 걸 모를 리 없었을 텐데 말이야. 더군다나 자네는 더들리를 지나는 길을 잘 알고 있지 않았나? 계곡을 가로지르는 철교 너머에 있는 자네의 은신처로 향하는 길 말일세. 검문 인력이 늘어나자, 자네는 자네의 은신처도 가지 못하는 신세였지. 하지만 검문 인력의 상당수가 코번트리로 차출되면서 그곳으로 향하는 길은 제대로 된 검문이 이루어지지 않았어. 자네가 원하던 결과였어."

"내 은신처를 발견하셨군."

"넬리 경감을 데려간 이유는 뭔가?"

"그의 사악함은 정의로움에 잠이 깬 하이드에 비할 바가 아니네. 난 그가 더 이상 활개 치지 못 하도록 벌을 내려야만 했어."

"스스로 신이 된 것처럼 말하는군. 난, 자네가 벌였던 극도의 분노와 잔인함으로 얼룩진 자의적인 판결에 결코 동의할 수 없네."

앤더슨은 고개를 가로저었다.

"흠"

"앤더슨, 이제 약물에 관해 묻겠네. 이게 뭔지 아나?"

허리를 굽혀 바닥에 놓인 가방에서 두툼한 책 몇 권을 탁자

위에 올려놓고 말을 이어갔다.

"자네가 약물을 어떻게 만들었는지 궁금했다네. 이 실험 노트를 살펴보니 지킬 박사가 어터슨 변호사에게 남겨놓은 실험 노트의 내용을 그대로 적어 놓았더군. 이 노트로 당신은 하이드를 연구하고, 실제로 약물을 만들었던 게 아닌가? 자네 정도의 의학 수준이라면 충분히 가능한 일이었겠지."

"증거가 있나?"

"자네는 어터슨 변호사가 남긴 실험 노트의 정체를 알고 있었어. 그래서 버밍엄 경찰청에 지원하게 된 거지. 경찰청에 들어와서도 한동안 그 비밀스러운 노트에 접근하지 못했지만, 넬리 경감의 지시로 지하 보관창고를 들락거릴 수 있게 됐어. 그렇다고 노트를 마음대로 빼 갈 수는 없었을 거야. 엄연히 창고를 지키는 경찰들은 있었으니까. 자네는 창고에 드나드는 시간 동안 봐뒀던 내용을 조그맣게 종이에 옮겨 썼던 거지. 그리고 그걸 한두 장씩 혹은 찢은 채로 자네의 은신처로 가져갔던 거고. 그렇지 않나? 여기 그 증거도 있네. 실험 노트에 사용된 종이 뒷면으로 자네가 참여했던 수사에 관한 내용과 그 날짜가 고스란히 남아 적혀있었네. 자네의 사무실에 있던 수사 노트도 확보해서 찢어진 면을 확인했네."

그에게 실험 노트의 뒷면과 수사 노트를 함께 내밀었다. 앤더슨은 그걸 보고, 자신도 어이가 없었는지 코웃음을 흘렸다.

"당신 말이 맞아. 피해 갈 방법이 없군. 자네를 너무 얕보았어."

"줄리오가 말했네. 당신이 준 약물을 마시고 자신이 하이드가 되었다고 말이네. 그리고 자네 또한 하이드로 변했다고 했지. 이제 말해주겠나? 어떻게 약물을 만들게 되었고, 하이드로 변하게 됐는지 말이야. 당신도 하고 싶은 말이 있을 거야. 그렇지 않나?"

"흠. 상황이 이렇게 돼버렸으니, 당신이 궁금해하던 걸 말해주도록 하지. 난 평소에 지킬 박사를 존경했소. 그가 다른 의학자로부터 외면받았던 시기에도 말이오. 지킬 박사가 죽고 나서 난 그가 만든 약물을 따라 만들고 싶어졌지. 하지만, 방법이 없더군. 그러다 어터슨 변호사가 뭔가 알고 있을 거라는 생각이 문득 들었소. 곧장 그의 집을 방문했지만, 한마디 말로 거절당했소. 오기가 생기더군. 어터슨 변호사가 외출한 틈을 타 그의 집 담을 넘어갔소. 뭔가에 홀린 것처럼 열린 창문으로 집안을 들어갔지. 그의 침실을 살피다 작은 상자에 담긴 편지들을 발견했어. 당신이 보낸 편지가 남아있었지."

"내가 보낸 편지가 있었다고? 편지에는 어떤 내용이 적혀 있었나?"

"당신은 기억하지 못하는군. 비법이 담긴 실험 노트를 기증하고 싶다는 어터슨 변호사의 말에 당신은 동의하였지. 그리고 그걸 보관할 장소 몇 군데를 알려주었더군. 런던의 미술관 혹은 박물관 그리고 이곳 버밍엄 경찰청이었어. 그 세 군데 장소 중 한 곳일 거라고 생각됐지만, 미술관과 박물관에서는 아무런 정보도 얻지 못했지. 더군다나 그곳들은 경비조차 느슨했어.

점점 버밍엄 경찰청에 있을 거라는 확신이 들었네."

"그래서 어찌했나?"

"세상에는 비밀이 없지. 풍문으로 들리던 소문이 사실일 거라는 생각이 들었어. 꽤 신빙성 있는 말이었지. 바로 버밍엄 경찰청 지하에 실험 노트가 있다는 소문 말이네. 난 방법을 궁리하다 경찰청에 지원 하기로 했지. 제일 안전하고 확실한 방법이었으니까."

그가 말한 풍문이라는 게 내 집에 있던 편지를 누군가 읽고 퍼트린 게 아니었을까?

"결국 원하던 약물을 만들었네. 그걸 T1이라 부르겠네, 이 약물은 지킬 박사가 만들었던 약물과 다른 특징이 있어. 이걸 마시더라도 평온한 상태라면 약물은 반응을 하지 않네. 하지만, 주체하지 못할 정도로 불쾌하거나 화가 난다면 약물은 거기에 급속도로 반응하도록 설계됐지. 좀 더 깊게 설명하자면, 순간적으로 몸의 조직을 최대한 혐오스럽고 두려움을 주는 모습으로 변형시키네. 하지만, 개와 고양이를 상대로 실험한 결과는 형편없었어. 결국 사람에게 이걸 실험해야겠다고 생각했네. 어떠한 상황이 펼쳐질지 나조차도 알 수 없었지. 두려웠지만 나를 대상으로 실험하기로 했네."

"예상대로군. 노숙자에게 돈을 뜯고 있던 갱스터를 죽음으로 몰고 간 게 자네였어. 그 갱스터는 자네의 학창 시절을 망쳐놓은 조직원 중 한 명이었을 테니까. 그 모습에 화가 치밀어 올랐을 테고, 노숙자를 폭행하는 순간 자네가 말한 약물이 반응

한 거군."

앤더슨은 손뼉을 쳤다.

"나를 잘 알고 있군. 사실 그 반응 순간에는 아무런 기억도 없었네. 난 단지 그들을 멀리서 지켜보았던 것만 기억할 뿐이었어. 내 안에 복수심으로 가득한 다른 내가 나의 양심과는 상관없이 그 갱스터를 해한 거였네. 다음날 신문 기사를 보고 나서야 나도 자세하게 알게 되었지. 그렇게 일이 커질 줄 몰랐네. 이건 사실이야. 하지만, 약물의 효과를 알게 되어 매우 기뻤네. 난, 이 약물이 다른 사람에게 어떻게 반응할지 직접 내 눈으로 확인해 보려고 했지. 그래서 경찰청에 오는 사람 중 한 명을 선택했네. 바로 탐이지. 그는 매우 불안해 했었어. 피에르라는 놈이 단기 형량을 마치고 나온다는 사실을 알았기 때문이었어. 피에르의 감형이 사회적인 정서에 부합되는지 의문이 들더군. 역시 여론은 좋지 않았지. 그를 풀어 줄 명분이 부족했지. 난 약자들의 원한을 들어주기로 마음먹었네. 경찰청을 방문한 그에게 술 한 병을 건네주었네. 아주 고급스러운 술로 말이야. 잠이 오지 않을 거니 이 술로 달래라고 말해 주었네."

"술을 덥석 받던가?"

"물론이지. 그런 비싼 술을 어디서 먹어봤겠나? 누구나 탐하는 술이라니까."

"자네가 그 술에 약물을 탄 거였군."

"그렇네. 난 그 계획을 줄리오에게 전해 주었지. 그걸 들은 줄리오는 사건이 발생한 현장을 다녀와서는 놀라운 표정으로 내게 말해주더군. 하이드를 보았다고 말이야. 그리고 탐이 어떻게 했는지도 알려주었어. 괴물의 모습으로 변한 탐이 온전치 않게 휘청댔다고 하더군. 사실 그러한 행동에는 이유가 있었어. 뭔지 아나? 달빛의 기운을 받지 못하는 시간이었기 때문이야. 오늘같이 보름달이 뜨는 날이라면 하이드에게는 최적의 시간이 되었겠지만 말이야."

앤더슨은 날카로운 미소를 지었다. 컴컴한 하늘 위로 떠 있는 휘영청 밝은 달빛이 쇠창살이 달린 창문 틈을 비집고 들어왔다.

"그날 근처에서는 큰불이 일어났어. 약을 탄 술 탓에 탐은 불을 지를 정신조차 없었을 거야. 오로지 맹목적인 목적만 가지고 있었을 테니까. 그 불로 인해서 교도소 담장 앞에서 벌어진 다툼은 작은 소란에 불과했던 거고. 탐은 제정신이 아님에도 유유히 현장을 빠져나갈 수 있었어. 자네의 도움이 없었다면 불가능했을 거야. 자네가 마구간에 불을 지르고 사람들 이목을 돌린 게 아닌가?"

"내가 했다고? 증거를 대보게."

그는 팔짱을 한 채 키득거리며 웃더니 이내 정색했다.

"아니야. 아니야. 내가 너무 야박하군. 이까짓 것 그냥 말해주지. 맞아. 그를 도와주기로 마음먹었어. 활활 타오르는 불은 사람들 이목을 집중시킬 만하니까. 그가 사건을 벌이는 시각에 맞춰 불을 질렀어. 여기저기서 사람들이 몰려나와 불을 끄려고 발을 동동거리더군."

"자네는 피에르가 언제 출소할지 알고, 탐에게 그 정보를 넘겨주었던 거군. 탐은 이상한 약에 취한 채 자네가 말한 시각에 교도소 앞으로 도착해 있었던 거고."

앤더슨은 고개를 끄덕거렸다.

"자네 말이 맞네. 또 묻고 싶은 게 있나?"

그는 모든 것을 내려놓은 듯하였다. 잠깐 말이 없어지는 순간에 그의 눈빛은 컴컴한 하늘을 향해 있었다.

"자네는 줄리오와 잘 아는 사이였더군. 파혼의 상대였다고 들었네. 그런 그녀에게 엘리엇 판사의 집을 알려주고 침입을 유도했던 이유가 뭐였나? 아버지의 원한을 갚으라는 말도 안 되는 이유로 말일세. 자네의 의도가 석연치 않아."

"자네의 상상은 소름이 끼칠 정도야. 후후. 엘리엇 판사는 단지 그녀의 아버지뿐만 아니라, 부당한 판결로 많은 사람들에게 원성이 자자한 인물이었어. 난 줄리오에게 선택의 자유로움을 주려 했어. 내심 끔찍한 선택을 바랐지만, 그녀가 마지막 순간 정신을 차리고 말았지. 사실 그녀에게 특별한 약물을 만들어 건넨 건 다른 이유도 있었지. 그녀가 하이드로 변해 벌이는 끔찍한 일들을, 또 다른 그녀의 자아가 지켜보면서 고통스러워하기를 바랐지. 날 잔인하게 떠난 대가를 받기 원했네."

"뭐라고! 이봐. 줄리오가 결혼을 포기하려 했던 건 자네가 두려워서였어. 그녀의 선택을 강제할 어떠한 명분도 자네에게 없었네. 자네의 불행했던 과거들로 범죄행각을 정당화하려 하지 말게."

"이해할 수 없군. 당신도 그러한 놈들로 인해 마음의 상처를 받았을 텐데, 그럼에도 나를 이해하지 못한다는 게 애석할 따름이네."

그때 누군가 조사실의 문을 크게 두드렸다. 문을 열어 보니 넬리 경감이 기골이 장대한 두 명과 함께 서 있었다. 평소와 다르게 그는 긴 갈색 외투 안으로 무엇인가를 감추고 있었다. 허리쯤에서 툭 튀어나온 모양은 총 손잡이가 분명했다. 그를 지키는 두 명의 경찰은 하얗게 질린 안색으로 긴 곤봉을 바짝 쥐고 있었다.

"어쩐 일인가?"

"자네는 저 머저리 같은 놈을 하이드라고 생각하는 건가? 그냥 이놈은 날 이용해 돈이나 뜯으려는 한심한 살인미수 납치범에 불과해. 어딜 봐서 그가 하이드라고 생각하는지 모르겠군. 이제부터 여기는 내가 맡도록 하지. 물러나 있게."

"앤더슨이 하이드가 아니라고? 무슨 말을 해도 소용이 없군."

넬리 경감은 외투 주머니 안으로 손을 넣더니 총을 만지작거렸다. 그리고 나서 다른 경찰들과 조사실로 들어갔다. 그들의 말을 들을 요량으로 조사실 밖 복도를 서성이다, 문에 달린 가느다란 창살 너머에서 울리는 넬리의 음성에 귀를 기울였다. 그 목소리는 평소보다 훨씬 점잖고 나지막했다.

"앤더슨. 난 자네를 충실한 부하로만 생각했어. 이렇게 누구를 배신할 줄 몰랐네. 더군다나 있지도 않는 비리를 떠벌리며 날 신문사에 제보했다고 하더군. 말해 보게. 누구의 사주를 받고 이런 일을 저질렀는지 말이야. 내 지위를 넘보는 어떤 놈이라도 있었던가? 제터가 아닌지 의심이 들기도 해. 말만 잘 해준다면 자네의 형량을 감해주도록 애써보겠네."

"후. 무슨 말을 듣고 싶은 거지? 거짓이라도 말하라는 뜻인가?"

"아직 이해하지 못했나 보군. 자네가 만약 하이드라고 치더라도, 약물이 없다면 그리 놀랄만한 인물이 되지 못한다는 걸 잘 알아. 판결에 따라서 자네는 철창 안에서 평생을 썩거나, 한순간에 이 세상에서 사라질 수도 있어. 이제 남은 시간이 얼마 없네. 여기서 증언을 해주게. 그리고 서류에 자네의 이름을 적어 주면 끝이야. 우리는 평화로운 사이가 될 수 있네."

"난, 자네와 같은 인간들과 평화로운 사이가 되고 싶지 않아."

그러고 한동안 둘 사이에는 대화가 끊겼다.

"뭐 하는 짓이야!"

갑자기 앤더슨이 소리쳤다.

"보시다시피 권총을 장전하고 있네. 만약의 사태를 대비해야지."

"협조하지 않으면 쏘겠다는 뜻이군."

"설마 그러겠나? 어서 결정해 주게. 시간은 자네를 기다리지 않는다네."

그때 앤더슨은 숨이 넘어가듯 헛기침하였다.

"캑캑. 저기 물 좀 가져다주게. 천식에 먹는 가루약을 깜박했어. 이렇게 기침하다 쓰러질지도 모르겠소."

한동안 그의 기침은 계속되었다.

"자네 어떻게 약을 지니고 있었지?"

"제니퍼에게 가져다 달라고 부탁했소. 죄수는 약을 먹으면 안 되오? 캑캑. 약을 먹고 당신이 원하는 답을 해주겠소."

앤더슨은 금방이라도 쓰러질 듯한 쉰 목소리를 내었다.

"어쩔 수 없군. 이봐! 앤더슨에게 물을 가져다주게."

"예, 경감님."

잠시 후 넬리 경감은 다급하게 소리를 높였다.

"저건 뭐야! 너희들 저 앞으로 가서 놈을 감시해!"

"경감님! 앤더슨이 점점 괴상하게 변해갑니다. 하지만, 손을 쓸 수 없습니다."

그 말을 듣고 기다릴 수 없었다. 문을 열고 조사실로 뛰어들어갔다.

"무슨 일이야!"

두 명의 경찰은 철창 앞에서 주춤대고 있을 뿐, 아무런 대응도 하지 못했다. 그들로부터 다섯 걸음 정도 뒤로 물러나 있던 넬리 경감은 총을 쥔 채 두 팔을 뻗어 앤더슨을 향해 겨누고 있었다. 앤더슨의 몸은 점점 커지고 눈매는 사나워지며 얼굴은 검붉게 변하더니, 용암이 화산 분출구에서 흘러나오듯 머리부터 서서히 녹아 흘러내렸다. 그러자, 넬리 경감은 소리를 지르며 연달아 총을 발사했다.

"너희들 비켜!"

탕! 탕! 총에 맞았음에도 앤더슨의 몸은 점점 속도를 내듯 녹아내렸다. 그 모습이 앤더슨의 죽음을 의미하는 건지 아니면 또 다른 괴물의 모습인지 분간할 수 없었다. 녹아 흐르던 물질이 철창의 빈틈으로 흘러내렸다. 그리고 어느새 바닥은 검붉은 용액으로 범벅이 되다시피 했다. 그러더니 파도가 일어나는 것처럼 갑작스레 용액이 솟아오르고 마치 끓어오르는 용암을 뒤덮은 듯한 괴물의 형상으로 변했다. 눈 깜짝할 새 일어난 일이었다. 곤봉을 든 두 경찰은 괴물에게 대항도 하지 못하고 달아나려다, 괴물에게 잡혀서 "으악!"하는 비명과 함께 벽으로 내팽개쳐졌다. 괴물은 뒤돌아서서 철창을 잡아 엿가락처럼 꺾어버렸다. 그리고 밀고 당기기를 하더니 철창을 뽑아 들어 던져버렸다. 이윽고 괴물은 넬리 경감을 향했다. 뒤로 물러나 있던 넬리 경감은 총을 다시 연신 발사했다. 탕! 탕! 탕! 괴물은 미동도 없었다.

"제기랄, 총도 소용없어!"

이제 괴물과 넬리는 점점 가까워졌다.

"넬리! 총을 나에게 건네게!"

"내가 왜 자네에게 줘야 해!"

그사이 넬리 경감에게 접근한 괴물은 그의 목을 한순간에 움켜쥐었다. 넬리는 순간 정신을 잃었는지 권총을 떨어뜨렸고, 그 괴물의 손에 멱살이 잡혀 공중으로 떠올랐다.

"앤더슨! 넬리를 놔줘!"

그러자, 깊은 땅굴에서 울리는 듯한 저음으로 앤더슨일지 모를 괴물이 대답했다.

"난, 이자에게 죽음이라는 걸 가르쳐줘야겠어. 자네는 더 이상 이 일에 끼어들지 말게. 이건 마지막 배려야."

결정해야 할 시간이 얼마 남지 않았다. 활활 타오르는 듯한 괴물의 광기 어린 웃음소리가 더욱 짙어졌다. 바닥에 나뒹구는 권총을 살며시 들었다. 누군가의 운명을 결정지을 마지막 한 발이 남아 있기를 바라며, 총을 들어 겨눴다.

"이봐! 앤더슨! 여기를 보게!"

소리를 지르자, 괴물은 넬리를 들어 올린 채 시선을 옮겼다. 왼쪽 눈을 질끈 감고 총구를 그의 미간에 조준했다.

"여보게. 자네 내 말 들리는가?"

아무런 대답이 돌아오지 않았다. 좀 거리가 있는 상태에서 섣불리 쏠 때 원치 않는 상황이 일어날 수 있었다. 더욱 문제인 것은 이 괴물의 약점이 어디인지, 총으로 해결될 것인지에 대해 알지 못한다는 것이었다. 다만, 이제까지 짐작 해 볼 때 몸체는 분명한 약점이 아니었다.

"마지막 경고네! 이제 그만하게!"

괴물은 멈추지 않고 고개를 돌려 출구 쪽으로 방향을 바꾸려 했다. 더 이상 기회를 놓칠 수 없었다.

"이제는 정말 더 기다릴 수 없어. 미안하네. 잘 가게. 앤더슨."

그의 눈을 조준해 발사했다. 탕!

총소리와 함께 소란했던 조사실은 더 이상 아무 소리도 들리지 않았다.

"제터. 나는 해야 할 일이 남아있네. 내 운명은 여기가 끝일
지 모르지만 말이야."

"무슨 말인가? 자네는 분명 총에 맞고 쓰러졌어. 그런데 어
떻게 살아있는가?"

이해할 수 없는 상황이었다. 앤더슨은 밤하늘처럼 그 깊이를
알 수 없는 어둠으로 사라지려 했다.

"안 돼!"

그를 뒤쫓으려 일어서려는 순간이었다.

"제터 탐정님!"

누군가 크게 소리를 질렀다. 눈을 떠 보니 제니퍼의 모습이
눈앞에서 아른거렸다. 그녀는 나를 흔들어 깨웠다.

"제니퍼. 어찌 된 일인가? 사람들은 어디로 가고?"

"여러 발의 총소리가 들려서 다른 경찰들과 함께 조사실로
달려왔어요. 탐정님은 쓰러져 계셨어요. 악몽을 꾸는 듯 식은
땀을 계속 흘리시면서 뭐라 중얼거리셨어요."

머리와 몸 전체에 알 수 없는 통증이 밀려왔다.

"꿈이었나 보군. 앤더슨은 어떻게 됐지?"

제니퍼의 눈가에는 눈물이 핑클 돌았다.

"앤더슨은 탐정님 곁에 쓰러져 있었어요. 이미 숨을 거둔 상
태였고요. 넬리 경감은 병원에서 의식을 되찾았다고 하더라고
요."

"자네에게 어떤 말을 해야 할지 모르겠군."

바닥에 주저앉은 제니퍼는 쓰러져 흐느꼈다.

20. 폭풍 구름

　한동안 치료를 받느라 버밍엄을 떠나지 못했다. 그사이 고인이 된 앤더슨은 버밍엄 외곽에 있는 한가로운 공동묘지에 안장되었다. 그의 묘지를 다녀오다 가파른 절벽으로 이름난 바닷가로 향했다. 한참을 달려 도착한 바닷가는 듣던 대로 붓으로는 표현되지 않을 아름다운 바닷가의 풍경이었다. 성난 듯한 하얀 파도가 밀려와 절벽으로 부딪치기를 반복했다. 마부에게 돈을 쥐여주며 기다려 달라고 말해놓고, 제니퍼와 함께 높은 지대로 올랐다.

　"꼭 폭풍우가 몰려올 것처럼 바람이 상당하군."

　"그러게요. 하늘은 파랗고 파도가 치는 바다는 아름다운데 말이죠. 저기, 이렇게 시간을 내주셔서 감사드려요. 덕분에 앤더슨의 묘지도 다녀오게 되었네요. 사람들이 손가락질하던 그런 사람인데, 저는 아직 그를 못 잊고 있었나 봐요. 어떤 감정인지 모를 눈물이 흐르더라고요. 한때 서로 사랑했다고 믿었던 기억 때문일까요? 아니면 원망스러운 마음 때문일까요? 휴……이제 진짜 그를 제 마음속에서 떠나보내야겠어요."

　제니퍼는 눈물을 훔쳐냈다.

　밀려오는 파도 소리는 점점 커졌다. 파도가 몇 차례 오가는 동안 그녀의 얼굴은 점차 평온을 되찾았다.

"넬리 경감에 대한 소식 들으셨어요?"

"아니. 듣지 못했어. 무슨 소식이라도 있었어?"

"들리는 말에 의하면 넬리 경감과 마이클 총경이 함께 파직될 거라고 해요. 넬리 경감은 인사위원회와 법정을 오가느라 바빠서 그런지 요즘 보이지도 않더라고요."

"그랬군. 모든 건 순리대로 흘러가겠지."

"이제 다 끝인 것 같아요. 하이드도 이제는 나타나지 않겠죠?"

"물론이지. 앤더슨은 고요히 잠들었고, 특별한 노트는 소각하기로 결정됐으니까."

"그럼, 탐정님은 런던으로 돌아가실 건가요?"

"그래. 나의 임무는 여기까지니까. 그런데, 제니퍼. 묻고 싶었던 말이 생각나는군."

"네?"

"앤더슨이 감옥에 갇힌 날, 제니퍼가 그에게 약을 가져다주었다고 하더군. 우리는 분명 그 조사실 앞에서 마주쳤었는데 말이야. 그 사실을 왜 내게 말해주지 않았었지?"

"그게⋯⋯. 앤더슨을 잠시 보고만 나오려고 했어요. 그런데 그가 천식에 먹는 약이 필요하다며 가져다 달라고 했어요. 저는 그 약이 하이드와 상관있는 줄 꿈에도 생각하지 못했어요. 탐정님. 설마, 제가 앤더슨을 도우려 했다고 의심하시는 건 아니시죠?"

그녀는 못내 서운한 기색이었다

"아…… 아니야. 그냥 좀 궁금했네. 자네가 불쾌했다면 미안하네."

"아니에요. 어쨌든 약을 전달한 건 제 잘못이니까요."

제니퍼는 바람에 날리는 머리카락을 정리하였다.

굵은 빗방울이 하나둘 떨어졌다.

"저건 폭풍 구름인가?"

저 멀리서 소용돌이치는 거대한 회색빛 구름이 바다와 하늘 사이를 어느새 잠식하였다.

"이제 돌아가지. 제니퍼."

"네."

우리는 떨어지는 빗줄기를 뚫고 마차로 향했다.

그로부터 몇 개월이 흘렀다. 여느 날처럼 런던 사무실에서 출근해 사건 접수 서류를 들여다보았다. 그리고 외부에 있느라 읽지 못했던 서류들을 마저 꺼내 읽어갔다. 마지막으로 꺼낸 우편물은 헨리가 보낸 편지였다. 그답지 않게 필체는 빠르게 흘러 내려갔다.

- 제터 잘 지내는가? 자네의 영원한 요원 헨리라네. 자네가 알아야 할 중요한 소식을 전하려고 하네. 우리 상점을 방문하는 사람 중 경찰청 소식을 간간이 전해주는 이가 있다네. 차를 한잔 마시며 이야기하다 보니 어쩌다 제니퍼 이야기가 흘러나

왔네. 그 사람 말로는 자네가 런던으로 떠나가고 얼마 지나지 않아 갑자기 제니퍼가 사라졌다네. 그런데 발칙한 루머가 돌고 있다고 하더군. 제니퍼가 사라지기 전 급격하게 배가 불러와서 사람들이 모두 의아하게 생각했다네. 나중에야 그녀가 임신한 상태라는 것을 알게 되면서 모두 놀라움을 금치 못했다고 하네. 그녀의 배는 두 달도 채 지나지 않아 만삭이 된 것처럼 커졌다고 하네. 정상적인 몸 상태인지 걱정이 되는 대목이야. 하지만 아이의 아빠가 누구인지 정확히 아는 사람이 없네. 자네가 아이의 아빠라는 말도 안 되는 소문만 떠돌고 있다네. 그녀가 사라지고 나서 더 이상 그녀를 보았다는 사람은 없다네. 그녀는 어디로 사라졌고, 또 아이 아빠는 누구란 말인가? 자네가 들으면 실소할 이야기라는 건 잘 알지만, 그래도 알고는 있어야 할 것 같아 긴급하게 전하네. 다음에 또 소식을 전하겠네. 그럼.

시간이 무거운 적막 속에 갇혀 버렸다. 적막이 깨어날 때쯤 꿈이었는지 모를 앤더슨의 말이 스쳐 지나갔다.

"제터. 나는 해야 할 일이 남아있네. 내 운명은 여기가 끝일지 모르지만 말이야."

나는 서둘러 버밍엄으로 돌아가야만 했다.